ALONSO Y ARQUITECTOS ASOCIADOS **BALAGUER**

B A R C E L O N A - M A D R I D
G R A N A D A - D U B A I

www.alonsobalaguer.com   estudi@alonsobalaguer.com

Alonso, Balaguer y Arquitectos Asociados • Bac de Roda 40 08019 Barcelona • Tel.933034160
Córcega 493 08025 Barcelona • Tel.932082100
Príncipe Vergara 118, 1°B 28002 Madrid • Tel.915238054
www.alonsobalaguer.com

Diseño Gráfico
Quim Martell MartellGràfic
Tel.678443522
quimmartell@gmail.com

Textos
Luis Alonso: Todos los textos
excepto los expresamente indicados
Ariadna Álvarez
Hector Cruz
Isidre Sistaré

Fotografía
Gordon Press
Josep Maria Molinos
Pedro Pegenaute
Ignasi Pujol Davant
Luis Alonso

Edición y Coordinación
Luis Alonso
Maria Molsosa
Ariadna Álvarez

Traducción Inglés
Mara Faye Lethem

Distribución
ACTAR
Roca i Batlle 2
08023 Barcelona
www.actar.es

Impresión
Graficas Contraste S.L.
Av. Bertran i Guell, 72
08850 Gava
Barcelona
Tel.936335880

Impreso en Barcelona

ISBN-13 978-84-611-8098-1
DLB: 39378-2007

Sportectura

001
002
003
004
005
006
007
008
009
010
011
012
013
014
015
016
017
018
019
020
021
022
023
024
025
026
027
028
029
030
031
032
033
034
035
036
037
038
039
040
041
042
043
044
045
046
047
048
049
050
051
052
053
054
055
056
057
058
059
060
061
062
063
064
065
066
067
068
069
070
071
072
073
074
075
076
077
078
079
080
081
082
083

ÍNDICE

001
002
003
004
005
006
007
008
009
010
011
012
013
014
015
016
017
018
019
020
021
022
023
024
025
026
027
028
029
030
031
032
033
034
035
036
037
038
039
040
041
042
043
044
045
046
047
048
049
050
051
052
053
054
055
056
057
058
059
060
061
062
063
064
065
066
067
068
069
070
071
072
073
074
075
076
077
078
079
080
081
082
083

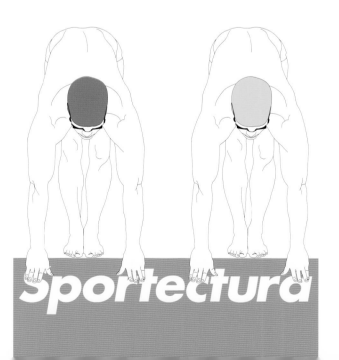

PRÓLOGO

Para desarrollar la práctica deportiva, basada en la competitividad, son determinantes estas tres condiciones: seguir un entrenamiento regular y metódico; someterse a la tutela de un especialista, el entrenador; y disponer de unas instalaciones deportivas adecuadas. Una buena ejecución del ejercicio físico se basará en estos 3 ejes: Método, dirección y gimnasio apropiado. Y es en este último punto donde más se ha progresado en los últimos años y donde ha surgido la última e importante aportación del experto: la arquitectura, el diseño de los espacios deportivos.

Los arquitectos **Luis Alonso y Sergi Balaguer** son pioneros en esta especialidad. Hace más de 25 años diseñaron el primer gimnasio de nueva generación, el Club Arsenal de Barcelona, y desde ese día han marcado la tendencia en el diseño y los contenidos estas salas que diariamente acogen, a través del *fitness*, mejorar su calidad de vida y disminuir los riesgos de salud. Su sello lo han dejado en más de 50 centros deportivos en las cadenas Duet Sports, Arsenal, 02 Centros Wellness, Europolis, Metropolitan, Holmes Place, Balthus, etc.

En nuestra sociedad occidental del bienestar, salud y actividad física son derechos de todos. Hoy se perciben signos que han encendido algunas alarmas: el 40% de las españolas sufre problemas de sobrepeso y en los últimos años se ha triplicado el número de niños afectados de obesidad. Una auténtica epidemia de resultados imprevisibles para el futuro. A esto hay que añadir los efectos derivados de otra lacra actual: el sedentarismo. Estos problemas se manifiestan en trastornos crónicos en las cervicales, lumbalgias, dolores en hombros, rodillas… etc.

Nos encontramos ante un desafío que afecta a toda la sociedad. Más allá de las autoridades deportivas y sanitarias, todos debemos sentirnos comprometidos en alcanzar el objetivo de una sociedad más saludable. Ya se han dado grandes pasos, como la limitación al uso del tabaco en espacios públicos. Sin embargo, solo a partir de desarrollar unas políticas activas mejoraremos. Y las bases deben sentarse a partir de nuestro sistema educativo: una educación física deportiva en la escuela.

La práctica del ejercicio físico es hoy un elemento imprescindible para la calidad de vida de las personas. El ejercicio físico mejora notablemente nuestros estándares de salud y bienestar. Todos los médicos nos recomiendan desarrollar programas de ejercicio físico, o la práctica de un deporte, como la mejor medicina para combatir las dolencias cardiovasculares, la obesidad, el colesterol y mejorar la motricidad.

Gracias, entre otras, a las aportaciones técnicas de estudios como el de **Alonso, Balaguer y Arquitectos Asociados** con el desarrollo de proyectos innovadores, hoy el nivel de las instalaciones deportivas es óptimo. Sería muy prolijo enumerar cómo se ha mejorado la calidad y cómo los avances han permitido progresar en el rendimiento deportivo: desde las salas de musculación a la calidad de los vestuarios o las instalaciones de agua; de las actividades aeróbicas o los nuevos equipamientos de *steps*, tapices rodantes o bicicletas a las instalaciones para *spa* o hidroterapia. Los gimnasios o centros deportivos han progresado para derivar cada día más en un centro de salud, a través del deporte.

Como amante del deporte y como dirigente deportivo durante más de 50 años, me complace que la trayectoria emprendida en 1983 por el despacho **Alonso, Balaguer y Arquitectos Asociados** se vea respaldada por el éxito y haya derivado a que hoy se les reconozca como profesionales de primer nivel, exportando este *know how* desde Barcelona al resto del mundo. Enhorabuena

Juan Antonio Samaranch
Presidente de honor del Comité Olímpico Internacional

PROLOGUE

The development of competitive sport practice requires three conditions: regular, methodical training; the supervision of a specialist, the coach; and the availability of adequate sport facilities. The proper execution of physical exercise is based on those 3 points: Method, direction and an appropriate gymnasium. And it is in this last point where the most progress has been made in recent years and where the latest important technical contribution comes in: architecture, the design of places in which to practice sport.

The architects Luis Alonso and Sergi Balaguer are pioneers in this specialty. More than 25 years ago they designed the first gym of this new type, the Club Arsenal in Barcelona, and since then they have been trend setters in the design and content of these spaces that daily serve thousands of men and women who seek, through fitness, to improve their quality of life and reduce health risks. They have left their mark on more than 50 sport centres of the Duet Sports, Arsenal, 02 Centros Wellness, Europolis, Metropolitan, Holmes Place, and Balthus chains, among others.

In our Western welfare society, health and physical activity are everyone's right. Alarming signs are seen today: 40% of Spaniards are overweight and in recent years the number of obese children has tripled. A veritable epidemic whose consequences on the future are unforeseeable. In addition, there are the effects that arise from our other modern affliction: the sedentary lifestyle. These problems manifest themselves as chronic neck ailments, low back pain, shoulder and knee pains…etc.

We are faced with a challenge that affects our entire society. It is not only the health and sport experts but all of us who must commit ourselves to achieving the goal of a healthier society. Important steps have already been taken, such as the limiting of tobacco use in public areas. However, we will only improve once active policies have been developed. And the bases must be established within our educational system: physical education in schools.

The practice of physical exercise is now an essential element in people's quality of life. Physical exercise significantly improves our levels of health and wellbeing. All doctors recommend physical exercise or sport practice for the improvement of motor functions and as the best preventive medicine against cardiovascular ailments, obesity, and high cholesterol.

Thanks in part to the technical contributions of studios such as Alonso, Balaguer y Arquitectos Asociados with their development of innovative projects, today the standards of sport facilities is at its peak. There isn't enough room here to list all the ways in which their quality has been improved and how these advances have allowed for a higher level of sport achievement: from the weight-training rooms to the high-quality changing rooms and water facilities; from the aerobic activities and the new equipment for step aerobics, from treadmills and bicycles to the spa and hydrotherapy facilities. The gymnasiums and sport centres have evolved, each day becoming more and more centres of health, achieved through sport.

As someone who loves sport and as a sport official for over 50 years, I am pleased to see that the path begun in 1983 by the office of Alonso, Balaguer y Arquitectos Asociados has been confirmed by their success and has led to their recognition as top-rate professionals, exporting this expertise from Barcelona throughout the world. Congratulations!

Juan Antonio Samaranch
Honorary President of the International Olympic Committee

001
002
003
004
005
006
007
008
009
010
011
012
013
014
015
016
017
018
019
020
021
022
023
024
025
026
027
028
029
030
031
032
033
034
035
036
037
038
039
040
041
042
043
044
045
046
047
048
049
050
051
052
053
054
055
056
057
058
059
060
061
062
063
064
065
066
067
068
069
070
071
072
073
074
075
076
077
078
079
080
081
082
083

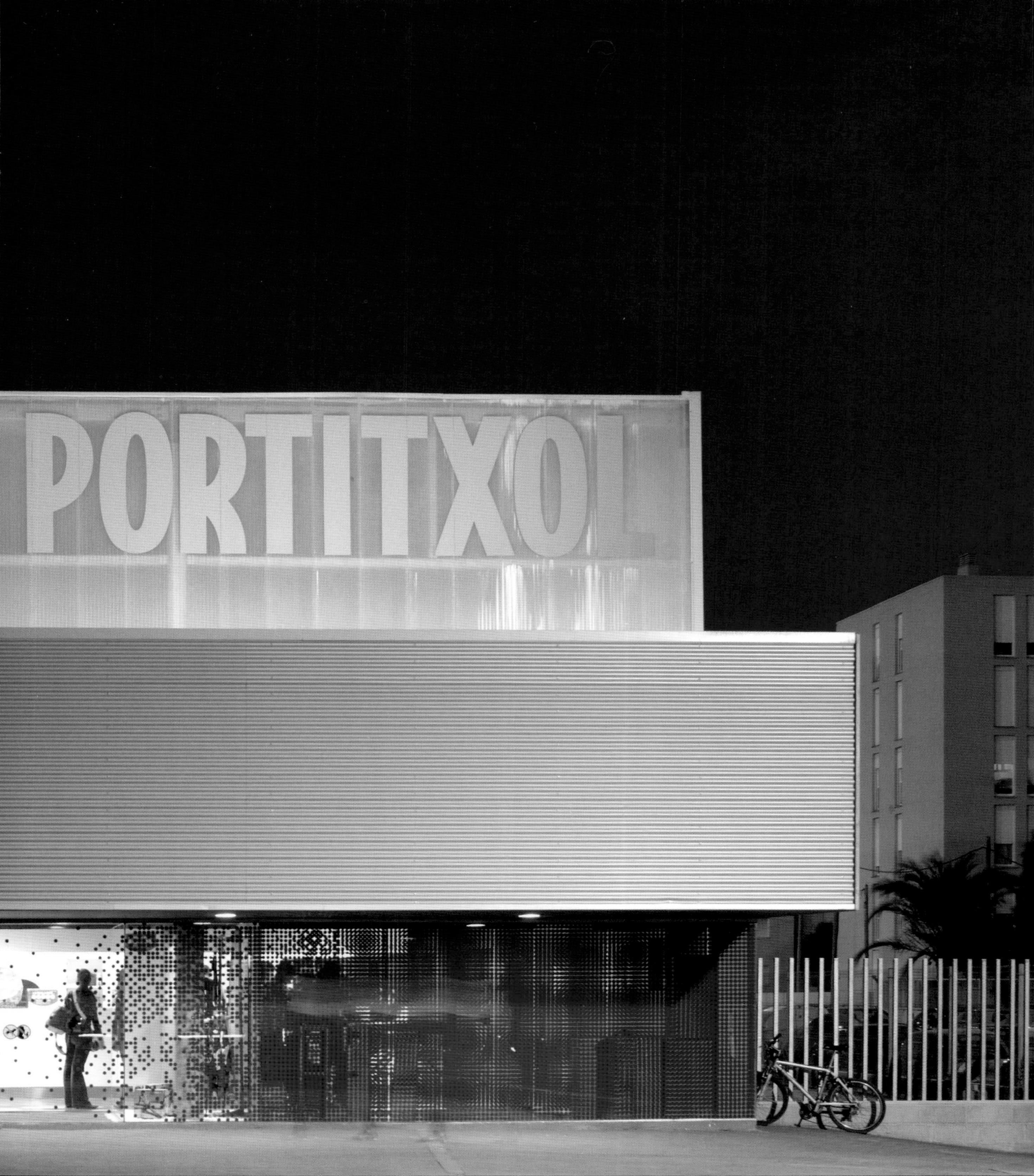
PORTITXOL

INTRODUCCIÓN

El estudio de arquitectura de **Luis Alonso y Sergi Balaguer** ha desarrollado más de 700 proyectos y obras, tanto de viviendas y edificios de promoción pública como privadas. Son autores de 27 clubs deportivos y tienen actualmente 22 en fase de ejecución o proyecto en diferentes ciudades del estado y en América del Sur como el **Club Balthus en Chile**. Entre éstas obras destacan el **Centro Wellness O2** y la **clínica CIMA**, el Club Arsenal, dos torres de viviendas y el **Hotel Vincci** en **Diagonal Mar**, en Barcelona; el **Hotel Arcs de Monells** en el Empordà (Girona), el puerto deportivo de **Segur de Calafell** (Tarragona), la **biblioteca Ernest Lluch** y el **Club Wellness O2 en el Parc del Migdia** de Girona. Actualmente están construyendo cuatro rascacielos en la **plaza Europa de l'Hospitalet del Llobregat** (Barcelona), el nuevo edificio corporativo de **Seat en Martorell** (Barcelona), un **Parque Empresarial** en **Viladecans**, y más de 3.000 viviendas en diferentes ciudades del estado.

Más de 80 personas componen el equipo multidisciplinar de **Alonso-Balaguer y Arquitectos Asociados**. Llevan tiempo proyectando con sensibilidad hacia el medio ambiente y que incorporan en los edificios los conceptos de arquitectura bioclimática, sostenibilidad y ahorro energético.

La primera obra en aplicar estos conceptos fue un edificio de **240 viviendas** para jóvenes en el **Nus de la Trinitat de Barcelona** promovido por el **Patronat Municipal de l'Habitatge del Ayuntamiento** de la ciudad, y que ha sido una referencia en el sector.
galardonados con distintos premios nacionales e internacionales entre las que cabe destacar **5 obras seleccionadas en los premios FAD**, el **1r Premio Rehabitec** a la mejor rehabilitación en España, el **premio Quatrium** a la obra más innovadora en Cataluña y la obra seleccionada en la **Bienal de Venecia** del 2004 con el nuevo centro lúdico-comercial de Las Arenas en Barcelona.

Han publicado diversas obras y se les considera actualmente entre los grandes arquitectos de rascacielos ya que en su currículum aparecen 7 edificios en altura (ejecutados o en fase de ejecución), así como 5 en fase de proyecto.

El año 1999, **Alonso-Balaguer y Arquitectos Asociados** se asoció con **Richard Rogers Partnership**, con quien han construido el **Hesperia Tower** y en la actualidad están construyendo dos grandes proyectos más, como el **complejo lúdico-comercial en la antigua Plaza de Toros de "Las Arenas" de Barcelona** y las **Bodegas Protos de Peñafiel** en Ribera del Duero (Valladolid), que volverán a ser edificios de referencia como lo es ya el **Hesperia Tower**.

Recientemente han sido ganadores de importantes concursos, entre los que destacan el nuevo **Estadio del Nàstic de Tarragona**, para 17.000 espectadores, así como sendos conjuntos de viviendas para el Ministerio de la Vivienda, dentro del **Concurso ViVA**, en Ceuta y Mieres.

La internacionalización del despacho, ha llevado a disponer de hasta 12 nacionalidades entre sus colaboradores, y despachos en **Barcelona**, **Madrid**, **Granada**, y **Dubai**.

001
002
003
004
005
006
007
008
009
010
011
012
013
014
015
016
017
018
019
020
021
022
023
024
025
026
027
028
029
030
031
032
033
034
035
036
037
038
039
040
041
042
043
044
045
046
047
048
049
050
051
052
053
054
055
056
057
058
059
060
061
062
063
064
065
066
067
068
069
070
071
072
073
074
075
076
077
078
079
080
081
082
083

LOS CLUBS DEPORTIVOS O EL BOOM DEL DEPORTE URBANO BAJO LA ÓPTICA DE LA ARQUITECTURA ESPECIALIZADA

Desde que nuestro despacho profesional desarrolló en 1983, la que seria nuestra primera realización deportiva (Club Arsenal en Barcelona), se han sucedido numerosas realizaciones en tal campo, a la vez que los importantes cambios sociales han comportado avances significativos en el tratamiento arquitectónico de tales espacios. El boom del deporte urbano se simultanea con actividades encaminadas al aumento de la calidad de vida, entendida ésta como un progresivo avance en el culto al cuerpo, y a la salud física y psíquica del ciudadano, ya tan urbanita.

Si bien en los años 70, fue la práctica al aire libre la que marcó la pauta con deportes como el jogging y el tenis para lo que se precisaban amplios y despejados espacios, deja paso en los 80 a instalaciones plenamente identificadas con la retícula urbana. La vida en la ciudad, con la psicosis de la falta de tiempo y el estrés, dan lugar al éxito de nuevos deportes como el squash. Marca la tendencia manifiesta en las actividades de los centros desarrollados entre tal década, véanse claros ejemplos en Barcelona como los clubes Metropolitan, Squash Club Arsenal c/ Pomaret y Club Arsenal Via Augusta.

La aparición de la alta tecnología aplicada al deporte, marcará un nuevo escalón evolutivo en los 90. La sofisticación de las máquinas individualizadas de musculación (fitness) dará paso a la escultura corporal personalizada. Las grandes salas, aún hoy en periodo de crecimiento arquitectónico, presiden los nuevos centros. Y así, mientras las vetustas canchas de squash van cediendo irremisiblemente el territorio a los aeróbic y a las salas de fitness, aparecen múltiples variedades de sofisticaciones encaminadas a dotar de la máxima oferta al ya masivo usuario urbano. Aparecen así las bicicletas estáticas, que combinadas con música de altas prestaciones, componen un cóctel que "engancha" sin piedad. Nace y se incorpora el spinning.

Pero cuando ya todo parece estable y consolidado, cuando el arquitecto dispone de patrones

tipológicos al uso, el agua hace su liquida aparición. Incrementa el abanico de oferta de actividades, ampliando la edad de uso, y con ello el llamado nicho de mercado. Si bien el mundo antiguo de oriente, occidente (persas, griegos, árabes, japoneses,...) dominó con soltura la incorporación del agua a en la vida social y urbana, tambión en la salud e higiene personal, es hacia 1990 cuando el resurgir de tal actividad se incorpora con fuerza y sofisticación a la práctica de un concepto que si hasta la fecha es llamado deporte, a partir de ahora se le adhiere el adjetivo sustantivado de salud. Así salud y deporte, o deporte y salud, cobran una nueva dimensión en el nuevo concepto de wellness o bienestar. Los aspectos lúdicos, recreativos y terapéuticos del agua cobran un nuevo interés público y empresarial, aspectos que se están desarrollando en el presente y en el futuro próximo.

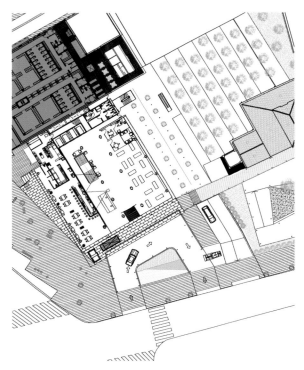

En este sentido todas nuestras últimas realizaciones combinan y armonizan tal concepto, con la incorporación de numerosas modalidades acuáticas en el programa funcional de los centros deportivos. Surgen así las piscinas de natación propiamente dichas, las de aqua-gym para la gimnasia acuática, que posibilita la incorporación de la mal llamada 3a edad. Surgen las piscinas de iniciación infantil y recuperaciones funcionales, los jacuzzis y spa de diferenciadas temperaturas, los chorros y cascadas de agua, de terapéuticos y relajantes efectos, las camas de agua, los baños de vapor, los baños calientes, las saunas húmedas o secas, la silla de hidromasajes, y un sinfín de variantes, aun en fase de amplio y venturoso porvenir.

Fruto de tales conceptos surgieron clubes en Barcelona como **O2 Centro Wellness, Holmes Place, Europolis Les Corts, Europolis Sardenya**, y en otras ciudades como **Wellness O2 Girona, Wellness O2 en Sevilla.** Los clubes de última generación como el recientemente inaugurado en el Hotel Hesperia Tower con el **Metropolitan Gran Via** o el **Metropolitan Sagrada Familia** junto a una residencia de deportistas en fase de construcción. Pero la gran expansión y la socialización del deporte ha llegado con los clubs **Duet** que se encuentran en **Tiana, Duet Fondo** y **Duet Can Zam** en **Santa Coloma de Gramenet, Palma de Mallorca** y las próximas aberturas en otras ciudades como, **Esplugues, Granada, Gandia, Madrid**, etc.

Nuestra actividad no cesa, como tampoco la investigación en el ámbito del deporte y la construcción de nuevas tendencias que ya se están incorporando en los centros que proyectamos.

Luis Alonso y Sergi Balaguer
arquitectos directores y socios fundadores de **Alonso, Balaguer y Arquitectos Asociados,** vinculados desde su juventud a la practica deportiva, primero como corredores de medio fondo, y con posterioridad pasados, a la maratón, donde aún siguen "chequeando" las reacciones de su cuerpo y del entorno socio deportivo.

001
002
003
004
005
006
007
008
009
010
011
012
013
014
015
016
017
018
019
020
021
022
023
024
025
026
027
028
029
030
031
032
033
034
035
036
037
038
039
040
041
042
043
044
045
046
047
048
049
050
051
052
053
054
055
056
057
058
059
060
061
062
063
064
065
066
067
068
069
070
071
072
073
074
075
076
077
078
079
080
081
082
083

PERSPECTIVA HISTÓRICA DEL DEPORTE Y DE LAS CULTURAS DEL AGUA

EL MUNDO ANTIGUO, GRECIA Y ROMA

La práctica del deporte como la entendemos actualmente era para las antiguas culturas un modo de vida y un medio de supervivencia, así nos referimos a la caza o la guerra como actividades que se relacionan con la actividad física. Con el tiempo estas prácticas darán lugar a otras formas mediante la introducción del juego: la actividad física como una forma lúdica, como juego que se reglamentará y dará lugar a muchos deportes contemporáneos. Los orígenes del deporte son tan antiguos como la civilización, se han encontrado pinturas que relatan la relación de los pueblos antiguos con la actividad física como los egipcios y la natación, ya que el contacto permanente con el río se refleja en las representaciones de la vida del faraón y su corte, así como el uso del agua con fines terapéuticos. El faraón también era representado con escenas de caza y las distracciones paramilitares. La lucha contaba con más de un centenar de claves diferentes que eran practicadas por luchadores profesionales.

En Mesopotamia se encontraban pueblos como los Sumerios, Acadios, Babilonios, Asirios y Persas. Toda la actividad física provenía del ámbito militar y la caza. Las culturas Minoica y la Micénica ya prehelénicas, los primeros habitaban en la isla de Creta y deben su nombre al rey Minos. Según la mitología griega, mandó construir al arquitecto Dédalo un laberinto para encerrar al minotauro. Eran un pueblo dedicado a la agricultura, el comercio, las actividades marítimas y la cultura, colonizaron muchas islas del Egeo. Sus actividades físicas se centraban en el boxeo, la danza, la tauromaquia y el atletismo.

Los micénicos eran cazadores y guerreros. Celebraban competiciones de cuadrigas, lanzamiento de jabalina o tiro al arco, carreras de velocidad, fondo, boxeo y levantamiento de pesos. La competición estaba presente en muchas de sus celebraciones, antecediendo los juegos que celebraran las polis griegas. Los primeros vestigios de la civilización griega aparecen como pequeños núcleos urbanos con un estatus de ciudad-estado. Vivían de la agricultura, la ganadería, la pesca y el comercio. Las luchas internas y la rivalidad entre las polis destruyeron su poder político y militar. Las guerras del Peloponeso acabaron con Atenas, pero la tradición culturas se extendió por gran parte del imperio romano bajo el nombre del helenismo.

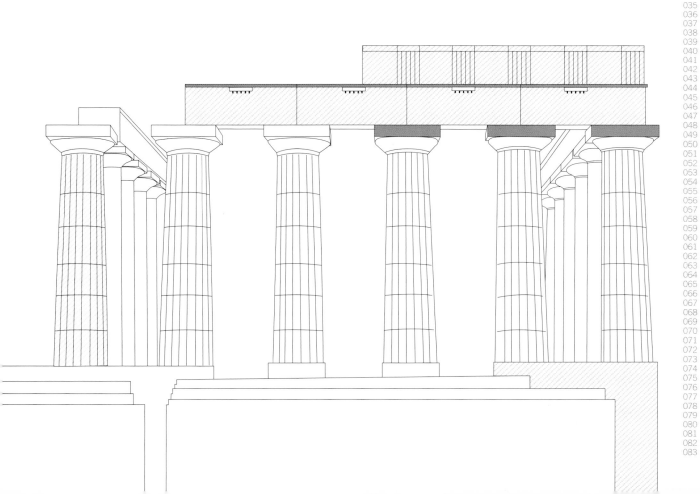

001
002
003
004
005
006
007
008
009
010
011
012
013
014
015
016
017
018
019
020
021
022
023
024
025
026
027
028
029
030
031
032
033
034
035
036
037
038
039
040
041
042
043
044
045
046
047
048
049
050
051
052
053
054
055
056
057
058
059
060
061
062
063
064
065
066
067
068
069
070
071
072
073
074
075
076
077
078
079
080
081
082
083

GRECIA Y LOS JUEGOS OLIMPICOS

El punto más álgido de la cultura griega coincide con el máximo esplendor de los juegos, que llegaron a celebrarse durante casi 400 años hasta la prohibición del emperador romano Teodosio. Además de los festivales deportivos de Olimpia, también se celebraban los juegos Píticos, Itsmicos y de Nemeos entre otros. El deporte o la práctica de la actividad física formaba parte de la sociedad y de las celebraciones religiosas. Podían participar en ellos los hombres libres de Grecia (y más tarde el resto del imperio romano), y solo reconocían el éxito al primero. La victoria olímpica era presagio de buena suerte, dinero y esperanza para la polis del vencedor. Los deportes practicados en los juegos se clasificaban en tres grupos: el atletismo, la lucha y el pugilismo y la hípica. Concibieron edificios e instalaciones para desarrollar la competición, el entrenamiento y el ocio como el estadio, el gimnasio y las termas. En todas las polis había un gimnasio que era un lugar donde además de entrenar había altares, salas de reuniones y piscinas; era un lugar de relaciones sociales y de transmisión del conocimiento. En la época de mayor esplendor de Atenas existían tres gimnasios importantes entre los que se encontraba la Academia y el Liceo donde Platón y Aristóteles impartían lecciones de filosofía. Platón escribió la República, una teoría de la educación del individuo donde la incorporación de la actividad física era considerada un medio de desarrollo adecuado y harmonioso para poder cumplir los designios del cosmos. Aristóteles (discípulo de Platón) considera el ejercicio físico dentro de la educación pero en un sentido más enfocado hacia la instrucción, la medicina y la salud.

ROMA

Es una constante del mundo romano su relación con la cultura helénica, aunque por lo que se refiere al concepto griego del atletismo y la lucha como una competición entre atletas a cuerpo descubierto, nunca fue entendida por los romanos. Cicerón -uno de sus grandes pensadores- la calificó de principio de perversión, y aunque algunos de los primeros emperadores se sintieran atraídos por el atletismo, la ciudadanía romana no la asimiló. Para los romanos, el ejercicio físico era concebido única y exclusivamente en clave militar y las prácticas típicamente romanas fueron la lanza, la espada, las carreras de cuadrigas y los combates de gladiadores. La preparación del soldado consistía en el entrenamiento de las armas y la marcha, las legiones romanas se impusieron sobre muchos pueblos constituyendo un gran imperio. Las grandes aportaciones romanas se desarrollaron en el campo militar y de la ingeniería. En su gran actividad de constructores públicos (arcos de triunfo, acueductos, anfiteatros, circos, termas...), diseñaron las instalaciones para practicar sus tres grandes actividades.

Así a lo largo del territorio del Imperio construyeron hipódromos (donde se corrían carreras de cuadrigas), circos (donde se exhibían los gladiadores, era también un laboratorio y lugar de aprendizaje para ensayar nuevas armas y técnicas militares) y los edificios termales.

Con la llegada del cristianismo, la permisividad moral que imperaba en los baños públicos, así como los martirios sufridos por los primeros cristianos en el circo justificaron el rechazo de aquellas actividades físicas y el culto al cuerpo. Los cristianos se opusieron a los sacrificios públicos y a la lucha de gladiadores para abolir finalmente éstas prácticas.

ROMA Y EL AGUA: LAS TERMAS

Los romanos desarrollaron una arquitectura del agua tomando como referencia las termas griegas, cuyos orígenes se remontan al imperio persa. Además de los restos arqueológicos que han perdurado hasta nuestros días, su herencia es vigente gracias a la gran tradición centroeuropea de los balnearios y las casas de baños.

Las dependencias básicas de las termas eran la entrada y vestidor, el baño frío o frigidarium, la zona tébia o tepidarium, y las estancias cálidas que se componían de baños de vapor o sudatorium y de agua caliente o caldarium.

Les salas se agrupaban en dos zonas: las calientes (tepidarium, sudatorium y caldarium) y las frías (apodyterium, frigidarium y piscinalis).

Desde el punto de vista arquitectónico, los edificios podían desarrollarse a partir de ejes lineales y la comunicación entre ambos se realizaba mediante el frigidarium y tepidarium. Las salas frías se situaban al norte y las calientes al sur, aprovechando así la máxima insolación.

Las estancias con los diferentes tipos de baños y actividades estaban relacionadas entre ellas de modo que de una se pasaba a la siguiente, siguiendo un recorrido, el mismo que hacía el agua y los desguaces de cada estancia que pasaban por el subsuelo. El nivel de las salas estaba elevado de modo que por debajo circulaba agua y aire caliente.

Bajo las estancias cálidas había un sistema subterráneo de calefacción por aire caliente (hypocaustum), que pasaba bajo el suelo a través de los tubuli que calentaban los muros y permitían el tiraje. El pavimento superior (suspensura) se apoyaba sobre pilares que descansaban sobre el pavimento inferior (area). El acabado del pavimento superior (suspensura) se hacía con el mosaico.

Las estancias calefactadas tenían el pavimento en una cota inferior respecto a las salas frías y tanto el suelo como las paredes internas recibían acabados específicos para difundir calor. Las cubiertas estaban recubiertas con estucos especiales que conducían a las paredes el agua procedente de la condensación y evitaban los degoteos en el centro de las salas.

Los hornos se situaban en dependencias de servicio adosadas a los baños y abiertas al exterior, para facilitar los trabajos de almacenaje del combustible y limpieza de las calderas. Para calentar el agua del caldarium y el sudatorium se utilizaba el horno de leña.

001
002
003
004
005
006
007
008
009
010
011
012
013
014
015
016
017
018
019
020
021
022
023
024
025
026
027
028
029
030
031
032
033
034
035
036
037
038
039
040
041
042
043
044
045
046
047
048
049
050
051
052
053
054
055
056
057
058
059
060
061
062
063
064
065
066
067
068
069
070
071
072
073
074
075
076
077
078
079
080
081
082
083

EDAD MEDIA Y RENACIMIENTO: ANTECEDENTES DEL DEPORTE MODERNO Y LA CULTURA DEL AGUA

EDAD MEDIA Y RENACIMIENTO: LA GUERRA Y LOS TORNEOS

El pensamiento cristiano relegó a un segundo lugar el cuerpo, dando un papel predominante al espíritu humano y el alma. La sociedad feudal se estructura económica y políticamente a partir de una sociedad estamental (el rey y la nobleza, la iglesia y el pueblo), de la ciudad como núcleo de trabajo gremial, y de la iglesia cuyo poder —junto a la monarquía— de fue absoluto.

La guerra es la "práctica deportiva" por excelencia junto a los torneos, el duelo y la caza. Los torneos constituían un modo de competición y espectáculo, y también ceremonias de preparación para la batalla, formando parte del arte de la caballería, la práctica por excelencia de la aristocracia que simbolizaba así su poder.

Los festivales y los juegos de grupo (ya que todavía no podemos hablar de equipos) eran comunes en la sociedad feudal, se trataba de actividades locales sin reglamentos y con diferentes normas según las regiones. No tenían sentido de la competición, se trataba más bien de una forma de entretenimiento, como sucede con los juegos de pelota.

Durante el renacimiento, la formación del individuo comportará la inclusión del ejercicio físico como un modo de perfeccionamiento junto al intelecto y el espíritu. Seguiran existiendo todavía grandes diferencias entre las actividades físicas y los juegos practicados por la aristocracia y el llamado "pueblo llano" como continuidad de las costumbres implantadas durante la Edad Media.

Durante el siglo XVII, en Europa seguirá dominando el absolutismo, la burguesía que se había consolidado como fuerza social, rechazaba esta situación pero necesitará de la ilustración —a mediados del siglo XVIII— como movimiento ideológico y cultural para destruir las bases del antiguo régimen.

El filósofo alemán Kant escribe en 1803 "Pedagogía", donde dedica un capítulo a la educación física que plantea la teorización científica de la educación como respuesta al movimiento ilustrado que supondrá un cambio pedagógico.

ANTECEDENTES DEL DEPORTE MODERNO: JUEGOS DE RAQUETA Y PELOTA

Durante la Edad Media se van concibiendo los inicios del deporte como lo conocemos actualmente. Se trata de juegos sin normas unificadas ni una organización clara, sin límites de los terrenos de juego, de duración, de participantes, de modo que todavía no podemos hablar en términos de deportes de competición.

Los antecesores del futbol y el rugby son la soule y el calcio. La soule era un juego de grupo con un número indeterminado de jugadores que se practicaba en Bretaña, Normandía y las islas Británicas. El calcio italiano, era parecido pero se practicaba en un recinto marcado.

Los diferentes tipos de tenis europeo proceden de los juegos de bote y golpeo. Los partidos se disputaban ya des del siglo XIV, con varios jugadores en las plazas de los pueblos, utilizando también paredes y con raquetas de cuerdas. Posteriormente fue practicado por los aristócratas en palacios y castillos, por lo que se llamó tenis real, y a partir del siglo XVII se juega en lugares cerrados al ponerse de moda entre la alta burguesía, cayendo posteriormente en desuso. En Inglaterra lo continuaron practicando en las pistas de hierba de sus casas de campo.

El cricket se empezó a jugar en el siglo XIV, siendo el deporte dominante en el siglo XVIII en Inglaterra.

El kolf, es el antecesor del jockey sobre hielo moderno, se practicaba en Holanda durante el invierno en los canales helados por gente de todas las edades y clases sociales. Consistía en introducir la bola con un stick en un pequeño agujero en el hielo. Se cree que puede ser también el antecesor del golf, ya que pasado el siglo XVII, en primavera y verano se comenzó a practicar en parques y jardines. En Escocia se practicaba un juego parecido que se exportó a los Estados Unidos tras su unión con Inglaterra.

La esgrima pasó de ser una técnica militar a un arte que practicaban las clases altas, utilizado en duelos y contenciosos.

La equitación y las carreras de caballos fueron muy practicados en Inglaterra, donde la cría adquirió gran importancia entre la aristocracia. La propiedad de caballos deportivos fue un símbolo de poder y nobleza. A finales del siglo XVI ya se disputaban carreras donde se apostaba por el vencedor. En el siglo XVII se empiezan a organizar competiciones al público, y se construyen hipódromos. A finales del siglo XVIII surgen los entrenadores, jockeys y corredores de apuestas profesionales generando una industria alrededor del caballo y la cría.

EL MUNDO ÁRABE Y LA CULTURA DEL AGUA

El agua como elemento lúdico y terapéutico es fuente de vida, ha sido divinizada y purificada por todas las culturas. Des de las termas griegas y romanas, los baños turcos, los baños judíos, los baños públicos o sento y los baños termales o onsen en Japón, la sauna finlandesa, las fuentes renacentistas y barrocas, las ciudades balnearias. En Oriente se utilizan todas las formas de baño, y tiene también un significado religioso que se significa con la presencia de fuentes en todos los templos.

En el mundo islámico la cultura de los baños es también muy antigua y proviene de la influencia que ejercieron las tradiciones romanas. A partir del siglo XI los turcos, un pueblo predominantemente nómada que no conocían el uso terapéutico del agua (hidroterapia) y se bañaban en los ríos o con agua de fuentes, se asentaron en el territorio y tomaron la costumbre del baño, que fue desapareciendo de Europa con la llegada del cristianismo.

El baño turco o hammam consiste en un recorrido donde se combina calor seco, calor húmedo, frío y el masaje. El resultado es la estimulación y limpieza del cuerpo (además de la mejoría de la salud), pero también es un lugar de encuentro y de reuniones sociales.

Constructivamente los baños se diferenciaban según si eran de hombres o mujeres, actualmente se utiliza el mismo edificio en horarios y días diferentes.

Antes de empezar el baño se accede al camakan (o apoditorium para los romanos) una sala cuadrada donde se encuentra la recepción y vestuarios con fuentes de agua, camerinos individuales y zonas de descanso para después de haber tomado el baño. A continuación se inicia el proceso en la gran sala caliente o

001
002
003
004
005
006
007
008
009
010
011
012
013
014
015
016
017
018
019
020
021
022
023
024
025
026
027
028
029
030
031
032
033
034
035
036
037
038
039
040
041
042
043
044
045
046
047
048
049
050
051
052
053
054
055
056
057
058
059
060
061
062
063
064
065
066
067
068
069
070
071
072
073
074
075
076
077
078
079
080
081
082
083

hararet (correspondiente al caldarium) donde
el cuerpo suda hasta que la acción del vapor
se mantiene al nivel de sudoración, entonces
se entra en la sauna (sudarium), un espacio
de pequeñas dimensiones con vapor de agua.
Después se toma un baño frío para que el cuerpo
recupere la temperatura en un espacio
generalmente circular en el sogukluk
(frigidarium), esta operación de entrar en la
sauna y tomar el baño frío se puede repetir
las veces que se quiera. Una vez volvemos a
la sala grande donde en el centro hay una mesa
redonda y nichos individuales donde limpiarse
con agua y jabón; se pueden pedir los servicios
de baño que incluyen masajes y peelings. En
la antigüedad, los médicos árabes llegaron a
desarrollar la hidroterapia como una técnica
de aplicación en forma de baños, bebidas y
aplicaciones locales.
Consideraban la hidroterapia como algo
prestigioso, Mahoma cuidaba la higiene y los
cuidados corporales con agua.
Desde el exterior son edificios reconocibles
por las cúpulas donde se incrustan pequeños
oberturas que dejan entrar la luz tamizada por
cristales circulares que orientan los rayos
de la luz en el interior. Antiguamente, se
rodeaban de jardines un elemento de gran
importancia en las construcciones y que elevaron
al rango de arte.
Actualmente se pueden encontrar en Estambul
algunos establecimientos históricos, también
en Egipto, Siria, Yemen, Libia o Mauritania.
La influencia de Turquía en el este de Europa
se deja sentir en Budapest donde conviven dos
culturas: los baños turcos del siglo XVI (baños
de Rudas y Kraly) y los establecimientos
termales de finales del siglo XIX (baños
Széchenyi y Gellert) donde se encuentran baños
de vapor y piscinas termales.

EDAD MODERNA Y CONTEMPORÁNEA

La economía europea se basaba en la agricultura
y el comercio, los productos manufacturados
eran artesanales. A finales del siglo XVIII
apareció la revolución industrial en Inglaterra
como resultado de la inversión (fruto del
capital que producen las colonias) en
investigación. Los inventos más importantes
fueron la máquina de tejer, de vapor y el tren
que permite la producción industrial mecanizada,
modificando radicalmente las formas de
producción. Los sectores crecientes fueron la
minería del hierro y el carbón y la industria
siderometalúrgica.
La burguesía fue el sector dominante también
en la política, y el avance industrial se
produció en toda Europa a partir del 1850-60.
Se creó una nueva clase social, el proletariado
o el obrero industrial que comportó el
crecimiento de las ciudades y la formación de
los suburbios.

Como corrientes filosóficas, económicas y
sociales aparece el liberalismo, el socialismo
y el marxismo. El liberalismo político y
económico se basa en el principio de respeto
a las libertades ciudadanas, a la existencia
de una constitución con derechos y deberes
para los ciudadanos, la independencia de los
tres poderes (legislativo, ejecutivo y judicial)
y el derecho al voto de los hombres (el de
las mujeres llegará más tarde). Los ideólogos
del socialismo y marxismo fueron Marx y Engels.
La idea principal que triunfó en la Revolución
Rusa de 1917, es que el trabajo del hombre es
lo único que crea riqueza y ésta debe quedar
en quien la produce, proponiendo la socialización
de los medios de producción.

Los orígenes del deporte actual (amateur y de
competición) se encuentran en la difusión e
universalización de la práctica deportiva
inglesa, haciendo posible que se pudiera
disputar en muchos lugares bajo las mismas
reglas de competitividad e igualdad de
oportunidades. Con tiempos y distancias que
se podían verificar y haciendo del récord un
concepto básico del deporte de competición.
Practicaron el deporte amateur e implantaron
el sistema igual de competición, el handicap;
creando asociaciones de personas con los mismos
intereses, los clubes. Llevaron el deporte a
los centros escolares, que en un principio
eran escuelas reservadas a la aristocracia y
alta burguesía, como un modo de canalizar el
tiempo libre de los escolares. Más tarde se
convirtieron en el elemento central de su
sistema educativo, desde la enseñanza obligatoria
hasta las Universidades, creando equipos para
competir entre diferentes escuelas. Desde éstas
se codificaron los juegos y se establecieron
los reglamentos por escrito del fútbol, el
rugby y otros juegos. Inventaron los elementos
necesarios para desarrollar el juego: las
porterías, las redes, las vallas, los obstáculos
y se utilizaron cronómetros por primera vez.
Se exportó a los Estados Unidos a partir de
1880 donde triunfó en la sociedad americana
cuyas aportaciones en éste campo (el béisbol,
el baloncesto, el jockey sobre hielo y el
fútbol americano) extendieron la práctica del
deporte a todo el mundo.
El siglo XIX ha estado lleno de conflictos en
materia política e ideológica, y también ha
sido el periodo donde se han gestado las
modernas teorías del conocimiento; y en el
campo de la educación y el saber las ciencias

humanas empiezan a ser importantes. Las
corrientes de la educación física, cuyas ideas
y métodos educativos son la base de la educación
física actual (y de la educación en general).
Se distinguen tres tendencias que generaran
las diferentes escuelas: la del centro de
Europa (Alemania), la del norte (gimnasia
sueca) y la del Oeste. Cada una de ellas está
marcada por el pensamiento y las teorías de,
políticos, sociólogos, médicos y pedagogos
que les llevaron a crear escuelas como la
sueca que fueron aceptadas y difundidas por
los médicos y la sociedad de la época en Europa
y Estados Unidos. Fueron los inspiradores de
la gimnasia y precursores de su inclusión en
las escuelas.

001
002
003
004
005
006
007
008
009
010
011
012
013
014
015
016
017
018
019
020
021
022
023
024
025
026
027
028
029
030
031
032
033
034
035
036
037
038
039
040
041
042
043
044
045
046
047
048
049
050
051
052
053
054
055
056
057
058
059
060
061
062
063
064
065
066
067
068
069
070
071
072
073
074
075
076
077
078
079
080
081
082
083

EL RELANZAMIENTO OLÍMPICO DE PIERRE DE COUBERTAIN

En 1892 Pierre de Coubertain propone, en la asamblea de la unión de sociedades francesas de deportes, el establecimiento de los Juegos Olímpicos de la era moderna. Coubertain, hijo de aristócratas y políticos franceses viajó a Inglaterra y Estados Unidos donde visitó las universidades y escuelas comprobando las características de la educación inglesa, la práctica de las actividades deportivas fortalecían el cuerpo y el carácter de los jóvenes. A partir de 1887 se dedicó a introducir el deporte en Francia como método educativo. Se funda el Comité Olímpico Internacional del que Coubertain fue el secretario general. Los primeros juegos se celebraron en Atenas en 1896 como una competición de diferentes deportes de carácter internacional a celebrar cada 4 años en una ciudad por deportistas amateurs,

con la excepción de la esgrima (no fue hasta los juegos de Seúl 1988 y Barcelona 1992 que se introduce el deportista profesional). El programa debía comprender los deportes atléticos propiamente dichos (carreras, saltos, lanzamientos) y el Pentatlón, una disciplina que engloba diferentes modalidades del atletismo. Este último juntamente con la natación y la gimnasia artística deportiva han sido siempre los deportes individuales de referencia de los juegos. Muchos otros deportes se han ido incorporando progresivamente al programa olímpico como todos los náuticos (remo, vela, natación), hípicos, fútbol, tenis, patinaje, esgrima, boxeo, lucha, polo, tiro, gimnasia, velocipedismo.

La actividad físico-deportiva durante el siglo XIX seguía siendo practicada por la aristocracia y la alta burguesía. No será hasta finales de siglo que se empiezan a crear entidades en el estado y particularmente en Cataluña, se considera la práctica deportiva como un hecho

diferencial, moderno que da aires y costumbres nuevas para la mediana y pequeña burguesía. El movimiento asociacionista sigue el modelo británico con una larga tradición, se produce un verdadero desarrollo de este movimiento organizado en asociaciones civiles privadas que nace de forma espontánea con la promulgación de la ley de asociaciones del estado en 1887 (Centre Excursionista de Catalunya 1876, Real Club Marítimo de Barcelona 1879, Real Club Náutico de Barcelona 1881, Club Gimnàstic de Tarragona 1886). En el ámbito deportivo se fundaron en 1899 el Futbol Club Barcelona y el Real Club Deportivo Español en 1900, apareciendo las primeras federaciones deportivas que dieron lugar a las competiciones de ámbito estatal. Fueron los primeros síntomas de la inclusión del deporte como parte de la modernidad de la vida social. En 1882 se aprueba la primera ley que instauró la enseñanza de la gimnasia (educación física) en los programas docentes. El deporte más popular ya era el fútbol, también como espectáculo, entre niños y jóvenes de todas las edades y clases sociales.

Las guerras frenaron el desarrollo y expansión del deporte en el Estado y en Europa de modo que habrá que esperar unos años para su recuperación. El deporte dejará de ser una práctica de los sectores elegidos de la sociedad y se convertirá en un modo de hacer y sentir de gran parte de la población.

LA CULTURA DEL AGUA EN OCCIDENTE: LOS BALNEARIOS Y LA HIDROTERAPIA

Los establecimientos termales y sus prácticas han sufrido cambios hasta llegar a la actualidad. Una evolución que parte de la reconversión de los antiguos hostales o casas de baños en establecimientos de esquema residencial y la aparición de la galería de baño. La bañera (o pila) de madera o cobre era el único instrumento ya que no se desarrollaron otros aparatos. Los métodos utilizados se basaban en la tradición hasta la introducción progresiva de métodos empíricos que se difundieron por toda Europa con la aparición de la imprenta en el siglo XV, y el conocimiento de los llamados "baños exóticos" o turcos que se incorporaron en el proceso terapéutico.

001
002
003
004
005
006
007
008
009
010
011
012
013
014
015
016
017
018
019
020
021
022
023
024
025
026
027
028
029
030
031
032
033
034
035
036
037
038
039
040
041
042
043
044
045
046
047
048
049
050
051
052
053
054
055
056
057
058
059
060
061
062
063
064
065
066
067
068
069
070
071
072
073
074
075
076
077
078
079
080
081
082
083

Se introduce la bañera de mármol, el baño de ducha circular, los chorros de agua a presión, la vaporización, la construcción de estufas naturales o artificiales, los aparatos de inhalación. Es decir, al uso de agua en todas las versiones posibles pero todavía evitando los espacios colectivos de baño tan característicos de la antigüedad y que hasta principios del siglo XX no se superó el recelo a compartir las aguas y el miedo a la promiscuidad.

A principios del siglo XIX se crearon los decretos oficiales y reales, los cuerpos de médicos que homologarán los establecimientos balnearios, regularán su uso y el personal perceptivo. Se analizarán las aguas para establecer científicamente sus componentes minerales, se anuncia su utilidad tanto para el baño como la ingestión preescritas para diferentes malatías.

En el siglo XIX se empieza a embotellar el agua mineral de las fuentes de las ciudades, impulsando nuevos comercios y desarrollando económicamente dichos establecimientos.

La época de consolidación del balneario no llegó hasta principios del siglo XX cuando el desarrollo de la medicina dio a cada lugar termal un uso terapéutico preciso y apareció el establecimiento urbano. Pero los avances de la medicina hospitalaria con los descubrimientos de Pasteur y otros sobre la transmisión y prevención de enfermedades contagiosas como la tisis, pondrán a los balnearios en crisis contraindicándolos para algunas enfermedades como la tuberculosis. El uso terapéutico de los establecimientos quedó ceñido a las prácticas actuales como el reumatismo, la recuperación post-traumática, el estrés y problemas basculares.

El veraneo junto al mar de la gran población urbana, toma posiciones frente al establecimiento termal de montaña del XIX, la costa del mediterráneo se convertirá en un balneario de grandes dimensiones. Los baños de agua de mar y de sol se harán populares. Pero también se produjo una base médica sobre las aguas del mar y su relación con la salud: la talasoterapia y la helioterapia. Las técnicas de la hidroterapia se adaptaron al agua de mar apareciendo los establecimientos de baños en la costa a mediados del siglo XIX.

La construcción de casas de baños de tradición oriental en las ciudades europeas va ligada a la higiene (sobretodo a partir de la revolución

industrial y la invención de la máquina de vapor) y se debe distinguir de su uso lúdico y terapéutico. El siglo XIX introduce progresivamente en el ámbito doméstico el agua corriente y los cuartos de baño individuales, que hicieron prácticamente desaparecer los establecimientos colectivos o públicos, relegándolos a la clase trabajadora.

La mentalidad utilitaria del baño se fue transformando con la expansión de la natación como deporte y el descubrimiento de la utilidad de los baños de vapor y el masaje como medio de conservación de la forma física.

El balneario del siglo XIX era un lugar privilegiado rodeado de vegetación que el espíritu romántico del momento lo elevó. Aparece el concepto de evasión de la ciudad hacia la naturaleza y el encuentro con el elemento primigenio como fuente de recuperación y curación física y mental, como contrapartida a la destructiva y estresante vida urbana. El balneario fue ese lugar de recreo con pacientes y usuarios, una sociedad relajada, alegre y alejada de sus ocupaciones profesionales que disfruta de sus vacaciones. Con el ferrocarril se inauguró la moda de los viajes que reducía el tiempo del trayecto y acercó al público

las estaciones termales y balnearias emplazadas en lugares elevados y apartados de la ciudad. Durante el siglo XX llegó el impulso definitivo con el desarrollo científico, biológico, médico, geológico y químico, estudios necesarios para comprender la base de la hidroterapia y su funcionamiento. Se introdujo como asignatura en las universidades de medicina y estudios sobre el agua en sí misma que sometieron a mediados de siglo, el termalismo a experimentación científica y observación clínica, elevándola al rango de ciencia. Actualmente la hidroterapia es una práctica en alza, se han modernizado los balnearios con la construcción de instalaciones modernas en las antiguas ciudades balnearias y el concepto del "spa urbano" está presente en todas las instalaciones deportivas.

Ariadna Alvarez

001
002
003
004
005
006
007
008
009
010
011
012
013
014
015
016
017
018
019
020
021
022
023
024
025
026
027
028
029
030
031
032
033
034
035
036
037
038
039
040
041
042
043
044
045
046
047
048
049
050
051
052
053
054
055
056
057
058
059
060
061
062
063
064
065
066
067
068
069
070
071
072
073
074
075
076
077
078
079
080
081
082
083

INTRODUCTION

The architectural studio of Luis Alonso and Sergi Balaguer has developed more than 700 projects and works, including housing and buildings both public and private. They are the authors of 27 sport clubs and currently have 22 more in the project or construction phase in different cities throughout Spain as well as in South America (the Club Balthus in Chile).

Among these works the most noteworthy are the Centro Wellness O2 and the CIMA medical clinic, the Club Arsenal, two tower blocks and the Hotel Vincci in Diagonal Mar (Barcelona); the Hotel Arcs de Monells in the Empordà (Girona), the marina in Segur de Calafell (Tarragona), the Ernest Lluch library and the Club Wellness O2 in the Parc del Migdia (Girona). They are currently building four skyscrapers in the Plaza Europa of l'Hospitalet del Llobregat (Barcelona), the new corporate building for Seat automakers in Martorell (Barcelona), a Business Park in Viladecans, and more than 3,000 dwellings in different Spanish cities. They also have a new office in Madrid to service the growing number of proyects based outside of Catalonia, with another headquarters set to open in Granada this year.
More than 80 people comprise the multidisciplinary team of Alonso, Balaguer y Arquitectos Asociados. For quite some time they have been creating projects that are sensitive to the environment and which incorporate concepts of bioclimatic architecture, sustainability and energy savings into the final buildings.

The first work to apply these concepts was a building with 240 living units for young people in Nus de la Trinitat in Barcelona promoted by the Patronat Municipal de l'Habitatge (the city's Municipal Housing Board), which has become a point of reference in the field. The firm has been honoured with numerous national and international prizes, including having 5 of their works selected for the FAD prizes, the 1st Rehabitec Award for the best renovation in Spain, the Quatrium Prize to most innovative work in Catalonia and their new Las Arenas shopping and leisure centre in Barcelona was chosen for the Venice Biennal in 2004.

They have published several works and are currently considered amongst the great architects of skyscrapers, with 7 high-rise buildings (already built or in the construction phase) and 5 more in the development phase listed on their curriculum vitae. In 1999, Alonso-Balaguer y Arquitectos Asociados formed an alliance with Richard Rogers Partnership, with whom they built the Hesperia Tower and are currently constructing two more large-scale projects, the shopping and leisure complex located in the former Las Arenas bullring in Barcelona and the Protos de Peñafiel Winery in Ribera del Duero (Valladolid), buildings that are already on their way to becoming points of reference like the Hesperia Tower.

SPORT CLUBS AND THE URBAN SPORT BOOM FROM THE PERSPECTIVE OF SPECIALISED ARCHITECTURE

Since our office developed its first sport building (Club Arsenal in Barcelona) in 1983, many more projects have been realised in this field, and at the same time important social changes have brought with them significant advances in the architectural treatment of such spaces. The urban sport boom goes hand in hand with activities aimed at increasing quality of life, this being understood as a progressive augment in the cult of the body, and in the physical and psychological health of our society that has become so sedentary. While in the 70s it was open-air sport practice that set the standard, with sports such as jogging and tennis that required large, open spaces, in the 80s this gave way to facilities clearly designed to work inside the urban grid. City life, with its constant stress and pressure for time, give rise to the success of new sports such as squash. This marks a clear tendency in the activities of the centres developed in that decade, as shown plainly in examples within Barcelona such as the Metropolitan clubs, Squash Club Arsenal on Pomaret Street and Club Arsenal Via Augusta. The appearance of high technology applied to sport marked a new rung on the evolutionary ladder in the 90s. The increasing sophistication of individualised fitness machines leads to personalised body sculpting. Large rooms, which are still today in a period of architectural growth, are the main features of the new centres. And thus, while the old squash courts lose ground in favour of aerobic activities and fitness rooms, numerous varieties of improvements designed to maximise the offerings available to the now massive urban user base This includes the appearance of stationary bicycles which, when combined with high-performance music, create a mercilessly "addictive" cocktail. Spinning is born.

But just when it all seems stable and set, when architects finally have well established typological standards, water makes its liquid appearance, increasing the spectrum of activities offered, widening the age range of users, and along with it what is called the niche market. While the ancient world, both in the East and the West (Persians, Greeks, Arabs, Japanese...), was able to easily incorporate water into urban and social life, in addition to its uses for health and personal hygiene, it wasn't until about 1990 when the resurgence of this type of activity was actively and sophisticatedly integrated into the practice of what had been called sport, and which now answers to the name of health. So health and sport, or sport and health, take on an innovative dimension with the new concept of wellness. The recreational, relaxational and therapeutic aspects of water acquire new public and business interest, aspects that are still in the process of being developed.

In this sense, all of our latest projects bring together and harmoniously blend that concept, with the incorporation of numerous aquatic forms within the functional program of the sport centres. This lead to the emergence of pools for swimming, and aqua gym pools for exercising in the water, making possible the inclusion of senior citizens, as well as pools for introducing infants to the aquatic environment, rehabilitation pools, Jacuzzis and spas of different temperatures, jets and water streams for both relaxation and therapeutic effects, water beds, steam rooms, heated pools, dry and damp saunas, hydromassage chairs, and countless other variants that are still in the exciting development phase.

As a result of these concepts, clubs sprang up in Barcelona such as the O2 Centro Wellness, Holmes Place, Europolis Les Corts, Europolis Sardenya, and in other cities, like the Wellness O2 in Girona, and the Wellness O2 in Sevilla. The latest generation of clubs includes the Metropolitan Gran Via, which recently opened in the Hotel Hesperia Tower, and the Metropolitan Myrurgia inside an athlete's residence, which is still in the construction phase. But the true wide, egalitarian expansion of sport arrived with the Duet clubs in Tiana, Duet Fondo and Duet Can Zam in Santa Coloma de Gramenet, Palma de Mallorca and with the ones set to open shortly in other cities such as Esplugues, Granada, Gandia, Madrid, etc. Our activity continues, as does the research in the field of sport and the creation of new trends that are already being incorporated into the centres we are designing.

Luis Alonso and Sergi Balaguer
head architects and founding partners of Alonso, Balaguer y Arquitectos Asociados, who since their youth have been linked to sport practice, first as middle-distance runners, then switching to the marathon, where they continue "checking" the reactions of both their bodies and sport's social environment.

HISTORICAL PERSPECTIVE ON SPORT AND WATER CULTURE

THE ANCIENT WORLD

The practice of sport as we understand it today was a way of life and a means of survival for ancient cultures, when we consider hunting and war as physical activities. With time, these practices gave way to other forms through the introduction of the game: physical activity in a playful form, as a game for which rules are established, giving rise to many of our contemporary sports. The origins of sport are as old as civilisation, paintings have been discovered that tell the story of ancient peoples' relationship with physical activity. For example, the Egyptians and swimming, since their constant contact with the river is reflected in the representations of the life of the pharaoh and his court, as well as the use of water for therapeutic purposes. The pharaoh was also depicted in hunting scenes and paramilitary exercises. This wrestling had over one hundred different holds and was

001
002
003
004
005
006
007
008
009
010
011
012
013
014
015
016
017
018
019
020
021
022
023
024
025
026
027
028
029
030
031
032
033
034
035
036
037
038
039
040
041
042
043
044
045
046
047
048
049
050
051
052
053
054
055
056
057
058
059
060
061
062
063
064
065
066
067
068
069
070
071
072
073
074
075
076
077
078
079
080
081
082
083

practiced by professional wrestlers.

In Mesopotamia lived peoples such as the Sumerians, Akkadians, Babylonians, Assyrians and Persians. All physical activity stemmed from the military sphere or hunting. The Minoan and Mycenaean were pre-Hellenic cultures. The Minoans lived on the island of Crete and take their name from King Minos. According to Greek mythology, they had the architect Daedalus build a labyrinth to hold the minotaur. The Minoans were a people devoted to agriculture, commerce, maritime activities and culture, and they colonised many islands in the Aegean Sea. The Mycenaeans were hunters and warriors. They held chariot races, javelin throwing and archery competitions, races of speed and distance, boxing and weight lifting. Competition was an aspect of many of their celebrations, predating the games held by the Greek cities. The first traces of Greek civilisation appeared as small urban nuclei called city-states. They lived off of agriculture, livestock raising, and trade. The internal struggles and rivalry among the cities destroyed their military and political power. The Peloponnesian Wars finished off Athens, but its cultural tradition spread throughout a large part of the Roman Empire under the name Hellenism.

GREECE AND THE OLYMPIC GAMES

The climax of Greek culture coincided with the Games' highest splendour. They were celebrated during almost 400 years until they were banned by the Roman Emperor Theodosius. Besides the sporting festivals of Olympia, they also celebrated the Pythian, Isthymic and Nemeoic Games, among others. Sport and the practice of physical activity was an integral part of society and of religious celebrations. The participants were free men of Greece (and later the rest of the Roman Empire) and no runners-up were recognised. Olympic victory was a sign of good luck, money and hope for the winners' cities. The sports practiced in the games were classified into three groups: athletics, wrestling and boxing, and horse riding. They designed buildings and facilities for competitions, training, and entertainment, such as the stadium, the gymnasium and the baths. In each city there was a gymnasium, which was a place for training that also had altars, meeting rooms and pools; it was a place for social relationships and the transmission of knowledge. At the height of Athens' splendour it had three important gymnasiums, among which were the Academy and the Lyceum where Plato and Aristotle gave philosophy lectures. Plato wrote The Republic, a theory of the education of the individual where the incorporation of physical activity was considered a means of harmonious and satisfactory development in order to comply with the designs of the cosmos. Aristotle (a disciple of Plato) also saw physical exercise as a part of one's education, but more focused on instruction, medicine and health.

ROME

The Roman world had a constant relationship with Hellenic culture, although they never adopted the Greek concept of athletics and wrestling as a competition between naked athletes. Cicero -one of their greatest thinkers—labelled it the beginnings of perversion, and even though some of the first emperors were drawn by athletics, the Roman people never took to it.

For the Romans, physical exercise was meant exclusively for the military sphere and the typical Roman practices were the spear, the sword, chariot races and gladiator combat. Soldiers' preparation consisted of training in arms and marching, and the Roman Legions defeated many peoples and built a great empire. The primary Roman contributions were in the military field and in engineering.

As part of their extensive activity as public builders (triumphal arches, aqueducts, amphitheatres, circuses, baths…), they designed the facilities for the practice of their three main activities. So throughout the imperial territory they constructed hippodromes (where chariot races were held), circuses (where gladiators fought, and which also served as a laboratory and learning site to try out new weapons and military techniques) and the baths. With the arrival of Christianity, the moral permissiveness that reigned in the public baths, as well as the first Christian martyrs in the circus, were the justification for the rejection of the cult of the body and those physical activities. The Christians opposed public sacrifices and gladiator battles, eventually leading to the abolition of these practices.

ROME AND WATER: THE BATHS

The Romans developed an architecture around water, using as a reference point the Greek baths, which in turn originated in the Persian empire. In addition to the archaeological remains that we still can visit today, this inheritance is reflected in the great Central European spa and bathhouse traditions.

The basic rooms of the bathhouses were the entrance and changing area, the cold bath or frigidarium, the warm area or tepidarium, and the hot rooms: the steam bath or sudatorium and the hot bath or caldarium. The rooms were grouped into two areas: hot (tepidarium, sudatorium and caldarium) and cold (apodyterium, frigidarium and piscinalis).

From an architectural perspective, the buildings were developed based on linear axes and access between them was through the frigidarium and tepidarium. The cold rooms were located to the north and the hot ones to the south, in order to maximise the sun's energy.

The rooms with the different types of baths and activities were contiguous, designed for users to go from one to the next, following a set path, the same path that the water and the drains from each room travelled below ground. The level of the rooms was elevated to allow water and hot air to circulate below. Underneath the hot rooms there was an underground hot-air heating system (hypocaustum), which passed under the floor through the tubuli, which heated the walls and allowed for the draw of air. The upper pavement (suspensura) was supported by pillars that rested on the lower pavement (area). The upper pavement (suspensura) was finished with mosaics.

The heated rooms had the pavement at a lower height than the cold rooms and both the floor and the internal walls were specifically finished in order to spread the heat. The roofs were covered with special stuccos that conducted the condensed water to the walls, avoiding drips in the centre of the rooms.

The ovens were located in service rooms attached to the baths and open to the outside, in order to facilitate the labour of storing fuel and cleaning the boilers. The water in the caldarium and the sudatorium was heated by wood stove.

THE MIDDLE AGES AND THE RENAISSANCE PRECURSORS TO MODERN SPORTS AND WATER CULTURE

THE MIDDLE AGES AND THE RENAISSANCE: WAR AND TOURNAMENTS

Christian thought relegated the body to a second plane, giving a predominant role to the human spirit and the soul. Feudal society was structured, both economically and politically, based on a society of classes (the king and the nobility, the church and the people), with the city being the centre of professional work, and a church whose power —along with that of the monarchy—was absolute.

War was the ultimate "sports practice," along with tournaments, duels and hunting. Tournaments were competitive and spectator events, and also preparation ceremonies for battle as part of the art of cavalry, the quintessential practice among the aristocracy that was a symbol of their power.

Festivals and group games (as we can't yet speak of teams) were common in feudal society; they were local activities without fixed regulations that were played differently in each region. They weren't competitive; they were more a form of entertainment.

During the Renaissance, individual formation included physical exercise as a way of perfecting oneself, along with the development of the intellect and the spirit.

There were still large differences between the physical activities and games practiced by the aristocracy and those practiced by the so-called "common people," a continuation of customs instilled in the Middle Ages.

During the 17th century, absolutism continued to reign in Europe. The bourgeoisie, which had established itself as a social force, rejected that situation but needed the Enlightenment —in the mid 18th century— as an ideological and cultural movement to destroy the bases of

001
002
003
004
005
006
007
008
009
010
011
012
013
014
015
016
017
018
019
020
021
022
023
024
025
026
027
028
029
030
031
032
033
034
035
036
037
038
039
040
041
042
043
044
045
046
047
048
049
050
051
052
053
054
055
056
057
058
059
060
061
062
063
064
065
066
067
068
069
070
071
072
073
074
075
076
077
078
079
080
081
082
083

the old regime.

The German philosopher Kant wrote Pedagogy in 1803, devoting a chapter to physical education in which he proposes the scientific theorisation of education as a response to the Enlightened movement, creating a pedagogical change.

PRECURSORS TO MODERN SPORT: GAMES WITH RACKETS AND BALLS

During the Middle Ages, the beginnings of sport as we know it today were conceived. These early games were not clearly organised and did not have unified rules, the playing field was not yet demarcated, nor the length, nor number of participants, so we cannot yet speak in terms of competitive sports.

The precursors to football and rugby are soule and calcio. Soule was a group game with an indeterminate number of players practiced in Brittany, Normandy and the British Isles. Italian calcio was similar but was practiced within a delineated field.

The different types of European tennis derive from games of bouncing and hitting. Matches were played from the 14th century, with various players in the town squares, using walls and with stringed rackets. Later on it was practiced by aristocrats in palaces and castles, which is where the name real (or royal) tennis comes from, and beginning in the 17th century it was played in enclosed spaces and became very fashionable among the upper middle class, before later falling into decline. In England they continued to play real tennis on the grass courts of their country homes.

Cricket began to be played in the 14th century, and in the 18th century was the predominant sport in England.

Kolf is the predecessor to modern ice hockey. It was practiced in Holland during the winter on the frozen canals by people of all ages and social classes. It consisted of introducing a ball, using a club, into a small hole in the ice. It is believed that kolf was also a predecessor to golf, since after the 17th century it was also played in parks and gardens during the spring and summer. In Scotland a similar game was played, which was then exported to the United States after Scotland became part of Great Britain.

Fencing went from being a military technique to becoming an art practiced by the upper classes, and used for duels and disputes. Horse riding and horse racing were very popular in England, where breeding took on great importance for the aristocracy. Owning racehorses was a symbol of power and nobility. Betting on the races began by the end of the 16th century. In the 17th century they began to organise public competitions, and racecourses were built. Towards the end of the 18th century, an industry emerged around the race horse and its breeding, including trainers, jockeys and professional bookmakers.

THE ARAB WORLD AND THEIR WATER CULTURE

Water is a source of life and its ludic and therapeutic elements have been deified by all cultures. From the Greek and Roman baths, the Turkish baths, the Jewish baths, the public baths or sento and the hot springs or onsen in Japan, the Finnish sauna, the Renaissance and Baroque fountains, the spa cities. In the Orient they use all types of baths, and water's religious significance is shown by the presence of fountains in every temple.

In the Islamic world, the culture of baths is also very ancient and comes out of the influence of the Roman traditions. Beginning in the 11th century, the Turks, a predominantly nomadic people who were unfamiliar with the therapeutic uses of water (hydrotherapy) and who bathed in rivers or with water from springs, settled down and adopted the custom of bathing, which was disappearing from Europe with the arrival of Christianity.

The Turkish bath or hammam consists of a circuit that combines dry heat, moist heat, cold and massage. The result is the stimulation and cleansing of the body (along with improved health), but it is also a social gathering and meeting place. In terms of their construction, the bathhouses varied depending on whether they were for men or women, but today they use the same building on different days and schedules. Before bathing one enters the camekan (or apodytorium for the Romans) a square room that houses the reception area and dressing rooms with water springs, individual changing rooms and rest areas for after bathing. Then the process begins in the large hot room or hararet (which corresponds to the Roman caldarium) where the body heats up until it reaches the level of perspiration, then one enters the sauna (sudarium), a small space with steam.

Then one takes a cold bath so the body can regain its temperature in a space that is usually circular in the sogukluk (frigidarium). One can repeat these steps between the sauna and the cold bath as many times as they like. Once they have returned to the large room, where in the centre there is a round table and individual niches for washing oneself with soap and water, services such as massages and peelings can be requested. In ancient times, Arab doctors developed hydrotherapy as a technique in the form of baths, drinks and local applications. They considered hydrotherapy prestigious, as Mohammed used water for his hygiene and body care.

From the outside, the bathhouses are recognisable for their domes inlaid with small openings that allow diffuse light to enter through round glass that directs the rays of light inside. In ancient times they were surrounded by gardens, a highly important element in their construction, which was elevated to the level of art.

Today one can still find historic bathhouses in Istanbul, as well as in Egypt, Syria, Yemen, Libya and Mauritania. The influence of Turkey on Eastern Europe is felt in Budapest where two cultures coexist: the Turkish baths of the 16th century (the Rudas and Kiraly bathhouses) and the thermal baths from the late 19th century (the Széchenyi and Gellert bathhouses) where one can find steam baths and thermal pools.

THE CONTEMPORARY AND MODERN AGE

The European economy was based on agriculture and trade, and manufactured products were handcrafted. In the late 18th century the Industrial Revolution began in England as a result of the investment (of the capital produced in the colonies) in research. The most important inventions were the spinning machine, the steam engine and the train that allowed mechanised industrial production, which radically changed forms of production. High-growth sectors included the mining of iron and coal, and the iron and steel industry. The middle class was the predominant sector in politics as well, and industrial advances were produced throughout Europe beginning in 1850-60. A new social class was created, the proletariat or industrial labourer, who fuelled the growth of cities and the creation of suburbs.

Liberalism, socialism and Marxism appear as philosophical schools of thought. Political and economic liberalism is based on the principle of respect toward civil liberties, the existence of a constitution with rights and responsibilities for citizens, the independence of the three powers (legislative, judicial and executive) and the right to vote for all men (women's suffrage would arrive later). The ideologues of socialism and Marxism were Marx and Engels. The main idea, which prevailed in the 1917 Russian Revolution, is that man's work is the only thing that creates wealth and that wealth should remain with he who produces it, putting forward the socialisation of the means of production.

The roots of modern sport (both amateur and competitive) are found in the spread and universalisation of the British sport practice, making it possible to play in many places with the same competitive rules and equality of opportunity. The introduction of verifiable times and distances made record-keeping a basic element of competitive sport. They practiced amateur sport and established a system to equalise competition, the handicap, and created associations of people with similar interests, clubs. They brought sport to schools, which were originally reserved for the aristocracy and the upper middle class, as a way of adding direction to the schoolchildren's free time. Later sport became a central feature of the educational system, from compulsory education to university, creating teams that competed between the different schools. From these schools, the games became codified and written rules were established for football, rugby and other games. They invented the elements necessary to develop each game: the goals, nets, hurdles, and obstacles, and they used stopwatches for the first time. This concept was exported, from 1880 on, to the United States, where it was a big hit in American society. The US, in turn, contributed baseball, basketball, ice hockey and American football, leading to a worldwide spread of the practice of sport.

001
002
003
004
005
006
007
008
009
010
011
012
013
014
015
016
017
018
019
020
021
022
023
024
025
026
027
028
029
030
031
032
033
034
035
036
037
038
039
040
041
042
043
044
045
046
047
048
049
050
051
052
053
054
055
056
057
058
059
060
061
062
063
064
065
066
067
068
069
070
071
072
073
074
075
076
077
078
079
080
081
082
083

The 19th century was filled with political and ideological conflicts, and was also a period in which the modern theories of knowledge were developed, and in which human sciences began to be important in the field of education. Trends developed in physical education, whose ideas and educational methods are the basis of modern physical education (and education in general). Three distinct tendencies comprise the different schools of thought: the Central European (German) school, the Northern school (Swedish gymnastics) and the Western school. Each one is marked by the thought and theories of politicians, sociologists, doctors and educators that led them to create schools such as the Swedish, which was widely accepted and spread by the doctors and society of the period in Europe and the United States. They were the main supporters of gymnastics and the catalyst for their eventual inclusion in school programs.

PIERRE DE COUBERTIN'S OLYMPIC REVIVAL

In 1892 Pierre de Coubertin proposed, in a meeting of the French Union of Athletic Sports Societies, the establishment of Olympic Games for the modern era. Coubertin, the son of French aristocrats and politicians, travelled to England and the United States where he visited the universities and schools, confirming the characteristics of the British education and discovering that the practice of sport activities did indeed strengthen the body and character of the young men.

In 1887 he began to devote himself to introducing sport in France as an educational method. The International Olympic Committee was founded, with Coubertin as the Secretary General. The first games were held in Athens in 1896 as an international competition of different sports to be celebrated every 4 years in a different city, with amateur athletes except in fencing (it wasn't until the 1988 Seoul and 1992 Barcelona Games that professional athletes were introduced). The program included the athletic sports themselves (running, jumping and throwing events) and the pentathlon, an event that encompassed five different types of athleticism. The pentathlon, swimming, and artistic gymnastics have always been the most emblematic individual sports of the games. Many other sports have been progressively incorporated into the Olympic program such as all the nautical events (rowing, sailing, etc.), equestrian events, football, skating, fencing, boxing, wrestling, water polo, shooting, and cycling.

Physical sporting activity during the 19th century continued to be something practiced by the aristocracy and upper middle class. It wasn't until the end of that century that associations were created in Spain and particularly in Catalonia; sport practice was considered something modern and special that gave new airs to the middle and lower middle classes. The growth of these associations followed the British model, which had a long tradition. The development of this movement to form associations surged with the enactment of the Spanish association law in 1887. Previous to the passing of this law, private civil associations had sprung up spontaneously (Centre Excursionista de Catalunya 1876, Real Club Marítimo de Barcelona 1879, Real Club Náutico de Barcelona 1881, Club Gimnàstic de Tarragona 1886). In 1899 the Futbol Club Barcelona was founded and in 1900, the Real Club Deportivo Español, and these first sporting federations gave rise to national competitions. These were the first signs of the inclusion of sport as part of modern social life. In 1882 the first law establishing the teaching of exercise (physical education) in school programs was passed. The most popular sport was already football, both as a participatory and spectator sport, among young men and boys of all ages and social classes.

The wars halted the development and expansion of sport in Spain and throughout Europe, so there was a period of some years before it began again. Sport ceased to be a practice only for society's elite classes and became a way of life for a large part of the population.

WATER CULTURE IN THE WEST: SPAS AND HYDROTHERAPHY

Hot springs and thermal traditions have changed substantially over the years. This evolution began with the conversion of the old bathhouses into thermal establishments with a new, specific architectural typology of their own. The wooden or copper bathtub (or basin) was the only instrument, as none others had yet been developed. The methods used were based on traditional ones, until the progressive introduction of empirical methods that spread throughout Europe with the appearance of the printing press in the 15th century, and knowledge of what were called "exotic baths" or Turkish baths was incorporated into the therapeutic process.

Among the elements introduced were the marble bathtub, the circular shower, pressurised water jets, steam, and the construction of natural and artificial heaters. Which is to say, the use of water in all possible versions but still avoiding the group bathing areas so characteristic of ancient times. It wasn't until the early 20th century that this distrust of sharing the water and fear of promiscuity was overcome.

In the early 19th century, royal and official decrees were created and groups of doctors approved the spa establishments, regulating their use and their specialised staff. They analysed the water to scientifically establish its mineral components, reporting on its usefulness for bathing as well as for being prescribed internally to cure different illnesses.

In the 19th century, mineral water from springs was first bottled, leading to new business and economic development for the spa cities.

It wasn't until the early 20th century that spas became firmly established, when the development of medicine gave each hot spring a specific therapeutic use and the urban spa appeared. But the advances in hospital medicine with discoveries made by Pasteur and others on the transmission and prevention of infectious diseases lead to a crisis for the spas, as they are contraindicated for such illnesses as tuberculosis. The therapeutic use of these establishments was limited to current practices for such ailments as rheumatism, post-traumatic recovery, stress and vascular problems.

Summering beside the sea for the large urban population started to compete with the 19th century mountain hot springs establishments. The Mediterranean coast became large-scale spa retreat. Sunbathing and swimming in the sea become popular. But there is also a connection established between the sea and health benefits: talassotherapy and heliotherapy. Hydrotherapy techniques adapted to use seawater begin to appear in spas on the coast in the mid-19th century.

The construction of bathhouses in the Oriental tradition in European cities was tied to hygiene (especially beginning with the Industrial Revolution and the invention of the steam engine) as opposed to any of water's ludic and therapeutic uses. In the 19th century running water and individual bathrooms are gradually introduced into homes, which led to the almost complete disappearance of public and group bathhouses, relegating them to the working class. The utilitarian idea of bathing was transformed by the expansion of swimming as a sport and the discovery of the value of steam baths and massage as a means to maintain physically fit.

The 19th century spa was an exclusive place, surrounded by the greenery extolled by the romantic spirit of the age. A new concept appeared: escaping the city and getting in touch with nature as a source of physical and mental renewal, to balance out destructive, stressing urban life. For patients and users, the spa was that place to take a break, a place to be relaxed, happy and far from professional worries, in order to enjoy their holidays. The railroad reduced travel time, bringing the public closer to hot springs and spas located in mountain regions and far from the city, which started a travelling trend. During the 20th century the definitive boost came with the scientific, biological, medical, geological and chemical development, studies necessary for understanding the basis of hydrotherapy and its functioning. It was introduced as a field of study in medical schools and, at mid-century, water itself became the subject of studies. As thermalism was put to scientific experimentation and clinical observation it was elevated to the level of science. Today, hydrotherapy is a growing practice, older spa cities have been updated with modern amenities and equipment and the concept of "urban spa" is an aspect of all sport facilities.

001
002
003
004
005
006
007
008
009
010
011
012
013
014
015
016
017
018
019
020
021
022
023
024
025
026
027
028
029
030
031
032
033
034
035
036
037
038
039
040
041
042
043
044
045
046
047
048
049
050
051
052
053
054
055
056
057
058
059
060
061
062
063
064
065
066
067
068
069
070
071
072
073
074
075
076
077
078
079
080
081
082
083

EL INICIO DEL DEPORTE URBANO

Las modificaciones en los hábitos deportivos -y en la misma percepción del deporte, y la ampliación de la práctica deportiva convencional explican la difusión actual de la práctica del deporte, pasando a formar parte de la universalización del tiempo de ocio. Se trata de un nuevo fenómeno que recupera la esencia lúdica del deporte y amplia su práctica a otras y nuevas formas, además de ser una actividad de elite y un espectáculo de masas. También se adentra en toda la sociedad, el ocio es cada vez más accesible a toda las clases sociales, y de edades diferentes, en una ruptura creciente de los hábitos del pasado y en un nuevo equilibrio de los tiempos sociales en nuestra época donde el tiempo libre será un ciclo cada vez más largo en el ciclo de vida que el tiempo de trabajo. Éstos son los valores que inspiren las prácticas deportivas actuales o el deporte urbano, donde ya no se busca el rendimiento como objetivo final y la búsqueda del bienestar se valora por encima del puro entrenamiento.

El deporte urbano, como práctica deportiva generalizada tiene sus orígenes en el siglo XX (concretamente a partir de la segunda mitad), y proviene de modelos norteamericanos de salud.

001
002
003
004
005
006
007
008
009
010
011
012
013
014
015
016
017
018
019
020
021
022
023
024
025
026
027
028
029
030
031
032
033
034
035
036
037
038
039
040
041
042
043
044
045
046
047
048
049
050
051
052
053
054
055
056
057
058
059
060
061
062
063
064
065
066
067
068
069
070
071
072
073
074
075
076
077
078
079
080
081
082
083

LA PRÁCTICA DEL DEPORTE AL AIRE LIBRE, ORÍGENES Y PRIMEROS CLUBES DE TENIS EN CATALUÑA

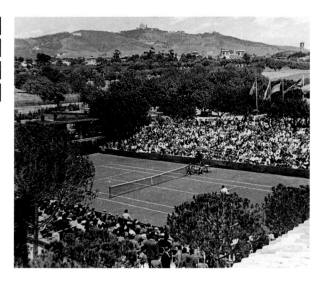

El tenis se empezó a practicar a finales del en
ciudades como por miembros de la colonia inglesa
y de la burguesía de la época. El primer club
que se fundó en Cataluña (y en España) fue el
Barcelona Lawn Tennis en 1899, que ha llegado
hasta la actualidad actualmente como el Real
Club de Tenis de Barcelona. Le siguieron entre
otros, el Club Tennis la Salut (1902), el (1904)
o el (1905), todos ellos en Barcelona.
Se funda la Asociación de Lawn Tennis de Barcelona
(la primera del Estado, más tarde se funda la
Lawn Tennis de España que será la actual Real
Federación Española de Tenis), que ingresará
como miembro de la federación internacional del
momento. Las primeras competiciones deportivas
también se disputaron en Cataluña, con el primer
Concurso Internacional de Tenis en 1903.
El se disputa el primer Campeonato del Mundo de
tenis en pista cubierta, y diez años más tarde
se organiza el partido de Copa Davis entre España
e Inglaterra también en Barcelona. Durante estos
años surgieron muchos clubes que se expandieron
por muchas poblaciones.
Tras el paréntesis que supuso la, se organiza
en los primeros Campeonatos de Cataluña de
Veteranos. El, el Real Club de Tenis de Barcelona
crea el torneo internacional Conde Godó a la
vez que empiezan a surgir buenos jugadores, como
Andrés. El tenis catalán será el más fuerte del
Estado, ganando la mayoría de los campeonatos
de España y formando la base del equipo de Copa
Davis con Manolo Orantes o Joan Gisbert.

LA PRÁCTICA DEL DEPORTE URBANO EN LOS ESTADOS UNIDOS

A finales de los años 40 la Organización Mundial
de la Salud (OMS) alerta sobre las consecuencias
de la sedentarización que lleva asociada el
progreso y que puede originar un número importante
de enfermedades. Esta corriente empieza a ejercer
un importante apoyo en promocionar el ejercicio
físico como agente para la prevención de la

salud. Antes de los 50 las prácticas deportivas
comprendían básicamente los ámbitos de la
competición, el entrenamiento militar y la
educación física en el ámbito escolar.
En los Estados Unidos durante el final de los
60 se dan unos factores que van a llevar el
desarrollo de nuevas técnicas gimnásticas creadas
para el mantenimiento de la forma física de la
población en general, dejando de lado la
competición, utilizando el ritmo y la música por
primera vez como complemento rítmico a los
ejercicios.
La práctica generalizada de la actividad física
proviene de modelos norteamericanos de salud. El
American College of Sports Medicine (ACSM) así
como otros autores han marcado las pautas del
ejercicio físico en todo el mundo, en los 70 el
ACSM recomienda la práctica de ejercicios
cardiorrespiratorios. Se introduce un concepto
que promueve la práctica del ejercicio físico de
media actividad y larga duración que puede ser
practicada por personas de todas las edades y
condiciones físicas. Deporte accesible a todos
y no competitivo. En 1968 un militar norteamericano
Kenneth Cooper escribe el libro Aerobics, donde
promueve los beneficios del ejercicio aeróbico
para mejorar la forma física. Es una actividad
física de baja o mediana intensidad. Se puede
realizar durante largo tiempo y la pueden practicar
personas de todas las condiciones físicas y
edades, y tiene como objetivo fundamental es el
desarrollo del sistema cardiovascular.
Nace un nuevo concepto de edificio que se
relaciona con el desarrollo del sistema
cardiovascular, que casi, así creó escuela: el
DOWNTOWN ATHLETIC CLUB, cerca del río Hudson
próximo a Battery Park, que se construye en
1.931 con sus 38 plantas destinadas al
restablecimiento físico del cuerpo humano.
Así sus plantas inferiores se destinan a fines
deportivos relativamente convencionales: pistas
de squash y frontón, salas de billar, vestuarios,
mientras que a las superficies un sinfín de
actividades tanto deportivos como para el cuidado
físico, se desparraman en tan novedoso contenedor:
salas boxeo, fitness, baños turcos, masajes,
irrigaciones de colon, piscinas, campos de golf,
comida, descanso-relax, salones, biblioteca…
En una palabra y como define Rem Koolhas en su
"Delirio de Nueva York": "*El Down Town Athletic
Club parece ser un vestuario del tamaño de un
rascacielos, una manifestación definitiva de
esa metafísica – a la vez espiritual y carnal
– que protege al varón norteamericano de la
corrosión de la edad adulta*".

001
002
003
004
005
006
007
008
009
010
011
012
013
014
015
016
017
018
019
020
021
022
023
024
025
026
027
028
029
030
031
032
033
034
035
036
037
038
039
040
041
042
043
**044
045**
046
047
048
049
050
051
052
053
054
055
056
057
058
059
060
061
062
063
064
065
066
067
068
069
070
071
072
073
074
075
076
077
078
079
080
081
082
083

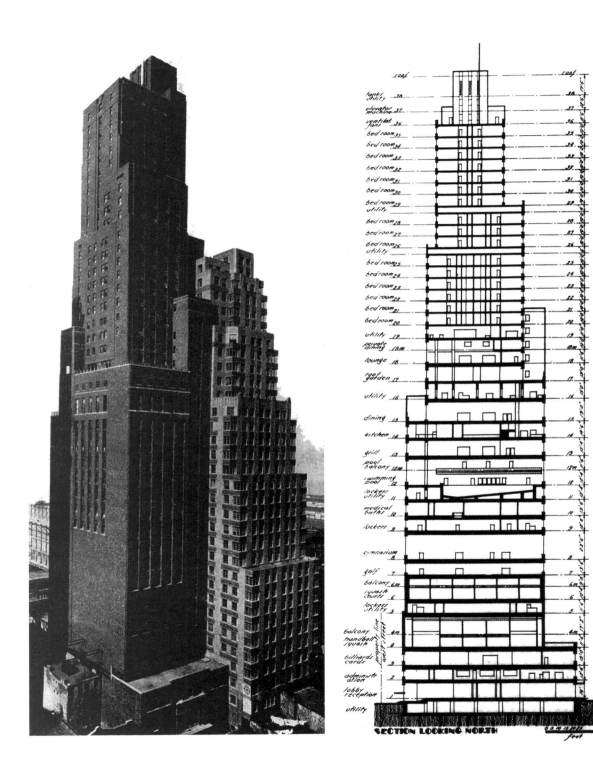

SECTION LOOKING NORTH

feet

Labels from top to bottom (right side section):

roof
tanks utility — 38
elevator machine — 37
ventilat. fans — 36
bedroom — 35
bedroom — 34
bedroom — 33
bedroom — 32
bedroom — 31
bedroom — 30
bedroom — 29 utility
bedroom — 28
bedroom — 27
bedroom — 26 utility
bedroom — 25
bedroom — 24
bedroom — 23
bedroom — 22
bedroom — 21
bedroom — 20
utility — 19
private dining — 18m
lounge — 18
roof garden — 17
utility — 16
dining — 15
kitchen — 14
grill — 13
pool balcony — 12m
swimming pool — 12
locker utility — 11
medical baths — 10
lockers — 9
gymnasium — 8
golf — 7
balcony — 6m
squash courts — 6
lockers utility — 5
balcony — 4m
handball squash — 4
billiard cards — 3
administration — 2
lobby reception — 1
utility

property line west street
property line washington street

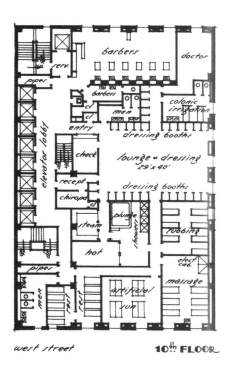

barbers

doctor

serv

piper

barbers

cl

men

colonic irrigation

entry

dressing booths

elevator lobby

check

lounge & dressing
29'x 40'

recept

dressing booths

chiropod

cl

steam

plunge

tubbing

showers

hot

elect. cab.

massage

piper

men

recept

artificial sun

west street

10th FLOOR

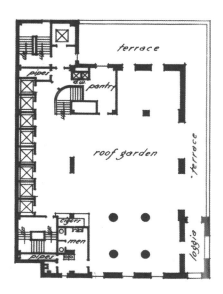

terrace

piper

pantry

terrace

roof garden

loggia

cigars

men

piper

washington street

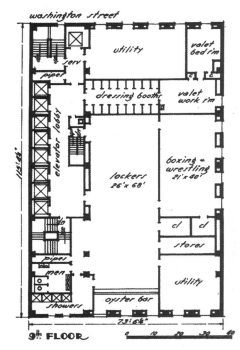

utility

valet bedr'm

serv

piper

dressing booths

valet work r'm

elevator lobby

boxing & wrestling
21'x 40'

115'-6"

lockers
26'x 68'

cl

cl

stores

piper

utility

men

showers

oyster bar

73'-6"

0   10   20   30   40

9th FLOOR

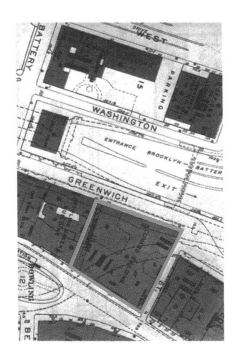

BATTERY

WEST

PARKING

15

WASHINGTON

ENTRANCE   BROOKLYN

EXIT

BATTER

GREENWICH

BOWLING
12

BE

EL APOGEO DEL AEROBIC CON JANE FONDA Y LA CULTURA DEL MUSCULO

El término aerobics definirá el trabajo aeróbico que se diferencia del término aerobic que hará popular años más tarde Jane Fonda y que se entiende como una clase de ejercicios con una coreografía y que puede llamarse también aerobic-dance. En 1969 Jackie Sorensen a partir de los trabajos realizados junto a Kenneth Cooper crea la danza aeróbica como un método de entrenamiento para las esposas de los militares de las fuerzas norteamericanas. Nace también en 1969 la danza jazz, una modalidad similar a lo que popularizará J.Fonda como aeróbic, y que constituyó la base para el Jazzercise creado por Judi Sheppard. Utiliza movimientos de la danza jazz realizados con música pop como un modo de practicar ejercicio aeróbico. J.Sorensen pone en marcha centros para practicar ejercicios cardiorrespiratorios y en 1970 funda el primer estudio en Nueva Jersey donde se ofrecen las primeras clases de aeróbic. Existen estudios que demuestran que durante esta década se logró una disminución del 14% en la mortalidad de la sociedad americana como consecuencia de la práctica asidua de los ejercicios aeróbicos.

A principios de la década de los 80, destaca el entrenamiento de la musculación, el culturismo, popularizado por Arnold Schwarzenegger y la industria cinematográfica norteamericana. Se trata de programas de entrenamiento que solo quieren obtener una mejora estética por encima de otros factores más relevantes para la salud. Quedará obsoleto años más tarde como camino hacia una buena forma física y de salud.

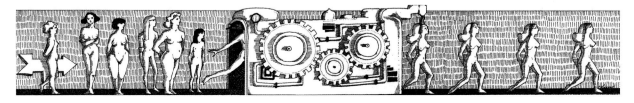

LA PRÁCTICA DEL DEPORTE URBANO AL AIRE LIBRE, EL JOGGING

En 1972 se celebran los Juegos Olímpicos en
Munich. Será la primera vez que la industria
deportiva (complementos, calzado y complementos)
utilice el deporte como técnica de marqueting
y entran en el mercado con los propios deportistas.
Aparecen las primeras grandes marcas deportivas
(Adidas, Nike, etc…) que patrocinan por primera
vez el deporte, y se convierten en sponsors de
los grandes eventos. Se consolida la sociedad
de consumo de masas.
Se populariza la práctica del ejercicio al aire
libre en la ciudad, los grandes parques de las
principales ciudades americanas se llenan por
primera vez de practicantes de jooging, actividad
física que se consolidará con las masivas carreras
populares y especialmente con las clásicas
maratones de Nueva Cork y Chicago. El jogging
se introduce posteriormente en toda Europa de
forma progresiva con la misma respuesta ciudadana.
La industria cinematográfica norteamericana
contribuye a difundir por todo el mundo la
práctica deportiva regular como referente del
nuevo estilo de vida con películas como Kramer
vs Kramer, Carros de Fuego, Rocky, etc.
Tanto **Sergio Balaguer** como yo mismo nos conocimos
con 16 años, como no!! Corriendo… A modo de
rivales por toda la geografía nacional,
encontrándonos en todas las salidas de pista de
atletismo de la geografía española, en las
pruebas de 800 y 1.500 mts., corriendo en equipos
rivales. Yo en el Vallehermoso madrileño y Sergio
en el Natación Barcelona. Por aquel entonces yo
tenía una privilegiada beca de Mutualidades
Laborales, y había de estudiar en la Universidad
Laboral de Alcalá de Henares, el Bachillerato
Superior. Un promedio de más de 7 en el Bachillerato
Elemental, así como un nivel económico familiar
extremadamente reducido, me permitió disfrutar
de las pocas, pero increíbles ventajas que el
postfranquismo introdujo y aportó, para las
clases sociales más desfavorecidas: el poder
acceder a las Universidades Laborales, auténticas
fábricas de Ingenieros Superiores, donde el
internado del proletariado posibilitaba, no solo
el estudio a fondo, sino también la práctica
del deporte de alto nivel.
De la rivalidad surgió la amistad…, la profunda
amistad.

001
002
003
004
005
006
007
008
009
010
011
012
013
014
015
016
017
018
019
020
021
022
023
024
025
026
027
028
029
030
031
032
033
034
035
036
037
038
039
040
041
042
043
044
045
046
047
048
049
050
051
052
053
054
055
056
057
058
059
060
061
062
063
064
065
066
067
068
069
070
071
072
073
074
075
076
077
078
079
080
081
082
083

Posteriormente me trasladé a Barcelona para finalizar mi trayectoria atlética y estudiar Arquitectura. La primera de ellas, en las secciones de Atletismo del Fútbol Club Barcelona, a las órdenes de **Gregorio Rojo** y **Domingo Mayoral**, compartiendo sudores y sufrimientos con **Josep Mª Pilán, Josep Mª Mir, Rafa Martínez, Andrés Ballvé, Vicente Egido,** y tantos otros compañeros de vueltas a la pista de atletismo, después lastimosa y tristemente sustituida por el Mini Estadi.

Y tras dejar el atletismo semi profesional, la marathón como "cementerio de elefantes". Son muchas las marathones que mis rodillas acumulan. Tantos los Kilómetros por las calles Barcelonesas, y las de toda ciudad que visito profesional o turísticamente.

Incluso la suerte de los campeones, (Que decía Menotti) me acompañó a conocer a la que sería mi actual esposa, y sin embargo amiga, **Denise**, neoyorkina, empedernida también corredora, y compartidora de luchas y esfuerzos.

Y la marathon (el fondo en general) te enseña grandes, profundas y trascendentales lecciones aplicables a la vida cotidiana. No te lo puedes imaginar amigo lector, cuan grande es el sufrimiento, y cuan grande la huella, que crea adicción y ganas ineludibles de repetir la lucha…

Intentaré sintetizar tan significativas aportaciones a mi vida personal, para intentar transmitirte el sentido de tanto esfuerzo y dedicación:

El ajustar tu paso a los obstáculos.
El saber controlar y dosificar tu esfuerzo.
El distinguir aquello que te viene por detrás.
El valor de la solidaridad.
El conocer tu cuerpo y sus reacciones.
El valor de la lucha contra ti mismo, no contra tus rivales (que se convierten en tus compañeros y amigos).
La satisfacción de que el esfuerzo, la dedicación, el sudor, siempre tienen recompensa, siempre obtienes premio por ello.

Intentaré explicarme, aunque no es fácil explicar sentimientos, que después tienen trascendencia en tu vida cotidiana, personal y profesional.

El ajustar tu paso a los obstáculos: cualquiera que haya corrido fondo, sabe como tu cuerpo acomoda su zancada, al obstáculo próximo, sea un bordillo, una tapa de registro en el pavimento, una protuberancia en el suelo…

Sabes, siempre, acomodar tus 3 - 4 zancadas anteriores, para sortear exitosamente el temible obstáculo. De forma intuitiva, primitiva,

automática, inconsciente.. pero activa. Ni que decir tiene que en la vida es fundamental, saber adaptar tu recorrido, tu zancada emocional o mental, al obstáculo que preves se encuentra en tu recorrido.

El saber controlar y dosificar tu esfuerzo:
Siempre es una de las constantes del maratoniano. Has de llegar al km 42,2, no vale un paso intermedio brillante, la meta es a largo, largo, largo plazo. Y la dosificación, el autocontrol es no importante, sino fundamental.
Los años, los kilómetros, te enseñan. La vida es muy similar, debes llegar a la plena satisfacción, a la completa experiencia y disfrute, en tu madurez. El llegar demasiado pronto, tan solo aporta frustraciones próximas.
Sergio y yó, siempre hemos considerado el crecimiento personal y profesional, como un proceso de lenta cocción... La rapidez del triunfo no es deseable.
El crecimiento físico y mental, humano y profesional, lento pero enriquecedor, es deseable y muy fructífero.
Así ha sido nuestro lento, pero seguro avanzar en nuestras vidas tan paralelas, tan cercanas.

El distinguir aquello que te viene por detrás:
Es divertido y curioso, el extraño sentimiento que adquieres con los kilómetros. Un casi divertido conocimiento de entender, de comprender, de distinguir aquello que por detrás te arriva. Sea un ciclista, otro corredor, un vehículo... llegas a "adivinar" el tipo, la marca de coche que viene. El ruido de los anchos neumáticos, del motor de los Porsche, tan distinto acústicamente, de los 4x4, de las motocicletas, de los ciclistas... Todo lo distingues con los años, todo lo previenes...
Cuan importante en la vida es saber distinguir aquellos "imputs" trascendentes que te indican un camino, una trayectoria, una tendencia... Es genial saber, distinguir lo que te sigue, lo que te viene...

El valor de la solidaridad: no hay nada más gratificante que el sentimiento de solidaridad, que el esfuerzo te proporciona.

El conocer tu cuerpo y sus reacciones: Sócrates decía "Conócete a ti mismo" como principal y básica fuente de tu vida...
No te puedes imaginar, cómo llegas a conocer tus reacciones, tu estado, cómo analizas, cómo escaneas tu cuerpo, tus reacciones, ...
La experiencia de crecimiento, de maduración llega a ser una excitación personal sensata, consciente, concreta, controlada...

El valor de la lucha contra ti mismo, no contra tus rivales (que se convierten en tus compañeros y amigos): No puedes imaginarte, sino eres fondista, cuan gratificante llega a ser, no tener rivales, todos son tus compañeros de fatiga, de sudor, de esfuerzo, todos quieren llegar a la ansiada, a la preciada meta.
No luchas contra nadie, luchas a favor de todos, y en especial de ti mismo....
Intentas ayudar, tirar del grupo, animar...
Y si es mujer ... mejor. Todos los fonderos sabemos que una marathón, has de ponerte, situarte, junto a una mujer que sabes va a hacer un tiempo, prefijado. Son más constantes, son más estables, más fiables... siempre recuerdo correr cerca de **Quima Casas**, la fondista catalana que me ofrecía su compañía, con un tiempo prefijado... y no fallaba nunca. Qué maravilla, que estabilidad...

Y todo esto, amigo lector tiene trascripción, tiene traducción y lectura, en la vida cotidiana y diaria.
Gracias, marathón, gracias por tantas, tantas lecciones aplicables a la vida real y diaria....
Nuestro caminar profesional, en verdad que se asemeja y asimila. Y el trabajo que posteriormente mostraremos, así lo corrobora.

001
002
003
004
005
006
007
008
009
010
011
012
013
014
015
016
017
018
019
020
021
022
023
024
025
026
027
028
029
030
031
032
033
034
035
036
037
038
039
040
041
042
043
044
045
046
047
048
049
050
051
052
053
054
055
056
057
058
059
060
061
062
063
064
065
066
067
068
069
070
071
072
073
074
075
076
077
078
079
080
081
082
083

EL SQUASH COMO REFERENTE DEL DEPORTE URBANO

El deporte del squash es relativamente nuevo,
tiene un origen durante el siglo XIX en Inglaterra,
su nombre proviene de la palabra "squashy" que
significa suave o estrujable. Existen diferentes
versiones sobre sus inicios, pero la más extendida
es la que sitúa su nacimiento en las cárceles
inglesas, mayoritariamente de la India y el
Pakistán (donde se encuentran los mejores
jugadores del mundo desde que existen competiciones
internacionales). Los presos jugaban en el
interior de las celdas con una pelota al hacerla
rebotar contra la pared. Posteriormente este
habito de la practica se fue haciendo costumbre
hasta que empezaron a poner reglas y a agregar
mas paredes a la pista improvisada, hasta llegar
a la pista que se conoce en la actualidad. Su
popularidad se extendió entre colegios, institutos,
universidades inglesas y academias militares.
Es así como se empieza a exportar el squash,
pues los oficiales impuestos a realizar este
deporte al estar de servicio fuera de su país,
construyeron sus canchas en otros lugares,
dándose así a conocer internacionalmente.
A partir de los años 60 los Australianos lo
pusieron de moda, y se fue haciendo popular en
Bélgica, España, Finlandia, Alemania,
Italia, Holanda, Suiza, Portugal, etc. En Japón
fue tan popular que lo quiso convertir en su
deporte nacional, en Estados Unidos la practica
del squash está muy extendida entre los ejecutivos
y ha sido durante muchos años el deporte urbano
por excelencia.

URBAN SPORT'S BEGINNINGS

Changes in sport habits·and in the very perception of sport, and the expansion of conventional sport practice serve to explain the current proliferation of the practice of sport, which now forms part of the universalisation of leisure time. This is a new phenomenon that reclaims the playful essence of sports and widens its practice to new forms, as well as being an elite activity and a mass spectacle. It also penetrates throughout society, leisure activity is increasingly more accessible to every social class, and different age groups, in a growing break with the habits of the past and in new balance with the social times of our era where free time will increasingly become a longer cycle within the life cycle as opposed to time spent working. These are the values that inspire modern sport practice and urban sport, where the final objective is no longer performance and the pursuit of wellbeing is valued over pure training.

Urban sport, as a general sport practice, has its roots in the 20th century (specifically beginning with the second half) and originates in American models of health.

OUTDOORS SPORTS PRACTICE, ORIGINS AND THE FIRST TENNIS CLUBS IN CATALONIA

Tennis began to be played in the late 19th century in cities like Barcelona by members of the British community and the bourgeoisie of the period. The first tennis club founded in Catalonia (and in all of Spain) was the Barcelona Lawn Tennis Club in 1899, which continues to the present with the name Real Club de Tenis de Barcelona. It was followed by others, including the Club Tennis la Salut (1902), the Polo Jockey Club (1904) and the Reial Club de Tennis del Turó (1905), all in Barcelona.

In 1904, the Lawn Tennis Association of Barcelona was established (the first in the nation, later Lawn Tennis of Spain was set up, now known as the Spanish Tennis Foundation), which became a member of the international federation. The first competitive matches also took place in Catalonia, with the first International Tennis Competition in 1903.

In 1923 the first World Championship on covered court was played in Barcelona, and ten years later the Davis Cup between Spain and England was also held there. In that time span many clubs were created in many different towns.

After the parenthesis imposed by the Spanish Civil War, in 1942 the first Catalan Veterans Championships were organised. In 1953, the Real Club de Tenis de Barcelona created the Count of Godo International Tournament. Also around this time good players began to appear, such as Andrés Gimeno. Catalan tennis players became the best in the nation, winning the majority of the Spanish championships and forming the base of the Davis Cup team with Manolo Orantes and Joan Gisbert.

THE PRACTICE OF URBAN SPORT IN THE UNITED STATES

In the late 1940s, the World Health Organization (WHO) alerted us to the consequences of increasing sedentarism associated with progress and which could be the cause of an important number of illnesses. This concept begins to play an important role in supporting the promotion of physical exercise as an agent in the prevention

001
002
003
004
005
006
007
008
009
010
011
012
013
014
015
016
017
018
019
020
021
022
023
024
025
026
027
028
029
030
031
032
033
034
035
036
037
038
039
040
041
042
043
044
045
046
047
048
049
050
051
052
053
054
055
056
057
058
059
060
061
062
063
064
065
066
067
068
069
070
071
072
073
074
075
076
077
078
079
080
081
082
083

of declining health. Prior to the 1950s, sport practice was basically limited to the spheres of competition, military training and physical education within schools.

In the United States, during the end of the 1960s, several factors contributed to the development of new exercise techniques created to maintain the general population fit, which didn't involve competition and which used rhythm and music for the first time as a complement to the exercises.

The widespread practice of physical activity comes from American models of health. The American College of Sports Medicine (ACSM), along with others, established the guidelines for physical exercise throughout the world. In the 1970s the ACSM recommended the practice of cardiorespiratory exercises. This introduced a concept that promotes the practice of long-duration, medium intensity physical exercise that can be practiced by people of all ages and physical conditions. Non-competitive sports that are accessible to everyone. In 1968, American Air Force colonel Kenneth Cooper wrote the book Aerobics, in which he promotes the benefits of aerobic exercise to improve physical fitness. Aerobics are a low or medium intensity activity that can be carried out over a long period of time and by people of all ages and physical conditions, whose fundamental goal is the development of the cardiovascular system.

A new concept of the building in which to carry out cardiovascular exercise is born, practically setting the standard: the DOWNTOWN ATHLETIC CLUB, on the banks of the Hudson River near Battery Park, which was built in 1931. Its 38 storeys are dedicated to the physical restoration of the human body.

While the lower storeys are devoted to relatively conventional sport purposes: squash and jai alai courts, pool tables, changing rooms, the rest of the built area houses countless activities, related both to sport and to physical care, spread throughout this innovative container: boxing rings, fitness rooms, Turkish baths, massages, colonic irrigation, swimming pools, golf courses, restaurants, rest and relaxation areas, assembly halls, a library…

In summation, as Rem Koolhas says in his "Delirious New York": "*The Downtown Athletic Club appears to be a locker room the size of a Skyscraper, the definitive manifestation of those metaphysics -at once spiritual and carnal-that protect the American male against the corrosion of adulthood.*"

THE APOGEE OF AEROBICS WITH JANE FONDA AND THE MUSCLE CULTURE

The term aerobic defines aerobic work, and differs from the term aerobics that will be popularised years later by Jane Fonda and which is understood as an exercise class with choreography and could also be called aerobic dance. In 1969 Jackie Sorensen, based on the work she did with Kenneth Cooper, created aerobic dance as a method of training the wives of the soldiers in the American forces. In 1969 jazz dance was also born, which was a form similar to what Jane Fonda made popular as aerobics, and which comprised the base of Jazzercise created by Judi Sheppard. It uses jazz dance movements carried out to pop music as a way of practicing aerobic exercise. J. Sorensen starts centres to practice cardiorespiratory exercises, and in 1970 in New Jersey establishes the first studio where aerobics classes are offered. Studies show that during that decade there was a 14% drop in the American mortality rate due to the assiduous practice of aerobic exercise. In the early 1980s, muscle training was at its height. Bodybuilding, popularised by Arnold Schwarzenegger and the American film industry, entails training programs designed solely to obtain an aesthetic improvement, valuing that over factors more pertinent to health. It became obsolete years later as a path to good health and physical fitness.

THE PRACTICE OF URBAN SPORT OUTDOORS, JOGGING

In 1972 the Olympic Games were held in Munich. It was the first time that the sport industry (clothing, footwear and accessories) used sport for marketing and entered the market with their own athletes. The first large sport brands appear (Adidas, Nike, etc…) and support sport for the first time, becoming sponsors of the large events, and reinforcing the emerging society of mass consumption.

The practice of exercise outdoors becomes popular in cities, the large parks of the main American cities fill for the first time with joggers. Jogging's popularity is strengthened by large-

scale amateur races and particularly by the
classic marathons held in New York and Chicago.
Jogging is later progressively introduced
throughout Europe and has the same popular
acceptance. The American film industry contributes
to the spread of regular sport activity as a
point of reference for a new lifestyle with
films such as *Kramer vs. Kramer, Chariots of
Fire, Rocky, etc.*

SQUASH AS A PARADIGM OF
URBAN SPORT

Squash is a relatively new sport; it began in
England in the 19th century. Its name comes from
the word "squashy" which means soft and easily
squashed. There are different versions of the
story of how it began, but the most common
version is that it was born in the British jails,
mostly in India and Pakistan (where the best
players in the world are found, ever since
international competition began). The inmates
played inside their cells with a ball, making
it bounce off of the wall. Later that way of
playing became customary until the introduction
of rules and the addition of more walls to that
improvised court, eventually becoming the court
we know today. Its popularity spread throughout
British schools, secondary schools, universities
and military academies. Which is how squash got
exported, since officers keen on the game serving
outside of their country built courts elsewhere,
making it internationally known.
Squash first became fashionable in Australia in
the 1960s, and then became popular in Belgium,
Spain, Finland, Germany, Italy, Holland,
Switzerland, Portugal, etc. In Japan it was so
popular that it almost became their national
sport, and in the United States the practice of
squash is very widespread among executives and
now been for many years the urban sport par
excellence.

001
002
003
004
005
006
007
008
009
010
011
012
013
014
015
016
017
018
019
020
021
022
023
024
025
026
027
028
029
030
031
032
033
034
035
036
037
038
039
040
041
042
043
044
045
046
047
048
049
050
051
052
053
054
055
056
057
058
059
060
061
062
063
064
065
066
067
068
069
070
071
072
073
074
075
076
077
078
079
080
081
082
083

LA ARQUITECTURA DEPORTIVA EN EL CONTEXTO URBANO
NUESTRAS PRIMERAS EXPERIENCIAS

Una vez iniciado el proceso de aceptación social de la práctica deportiva llevado al contexto urbano, nuestras primeras experiencias se centraron en el squash como actividad principal, complementándose con los preliminares de las áreas de fitness, y aguas. Los clubs **Arsenal** (Pomaret y Augusta) así como los **Európolis** (Les Corts y Serdenya) y el Club **Metropolitan** de Barcelona fueron realizaciones exitosas aún en vigor, a pesar de haber sufrido adaptaciones para nuevas actividades y usos.

SPORT ARCHITECTURE IN AN URBAN CONTEXT
OUR FIRST EXPERIENCES

Once the process of social acceptance of sport practice in an urban context had begun, our first experiences were focused on squash as the primary activity, complemented by the preliminaries to fitness and water areas. The **Arsenal** clubs (Pomaret and Augusta) along with the **Európolis** clubs (Les Corts and Serdenya) and the **Metropolitan** Club in Barcelona were successfully realised and are still in use today, in spite of having been adapted for new activities and uses.

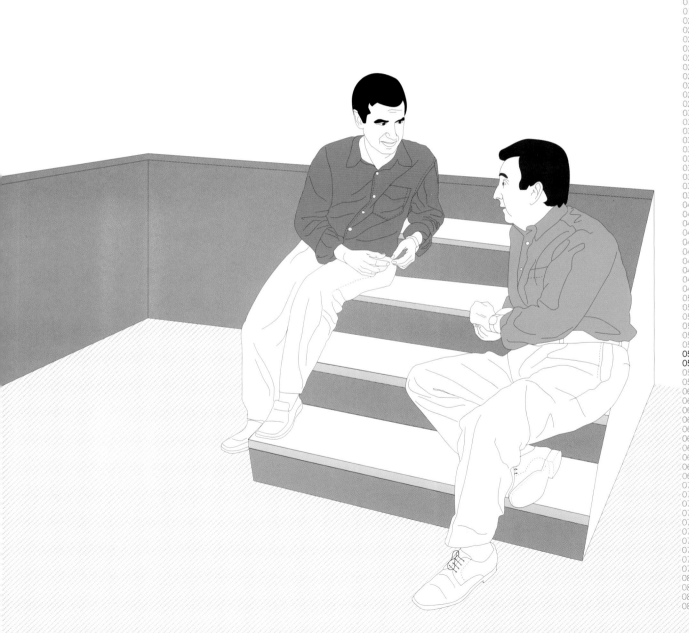

001
002
003
004
005
006
007
008
009
010
011
012
013
014
015
016
017
018
019
020
021
022
023
024
025
026
027
028
029
030
031
032
033
034
035
036
037
038
039
040
041
042
043
044
045
046
047
048
049
050
051
052
053
054
055
056
057
058
059
060
061
062
063
064
065
066
067
068
069
070
071
072
073
074
075
076
077
078
079
080
081
082
083

CLUB ARSENAL POMARET
BARCELONA

1982-1992

NUESTRA PRIMERA REALIZACIÓN Y EXPERIENCIA, DONDE SE CREÓ UN NUEVO CONCEPTO: EL DEPORTE URBANO.
UN CLUB DONDE SE PUEDE ALTERNAR EL DEPORTE CON LAS RELACIONES SOCIALES; LAS PISCINAS EXTERIORES, INTERIORES.

OUR FIRST EXPERIENCE AND COMPLETED PROJECT, WHERE A NEW CONCEPT WAS CREATED: URBAN SPORT.
A CLUB WHERE ONE CAN ALTERNATE SPORT WITH SOCIAL INTERACTION; OUTDOOR AND INDOOR POOLS

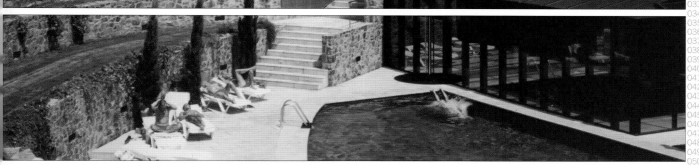

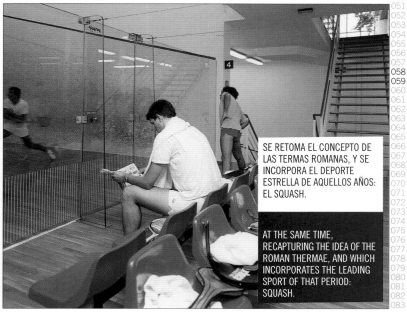

SE RETOMA EL CONCEPTO DE LAS TERMAS ROMANAS, Y SE INCORPORA EL DEPORTE ESTRELLA DE AQUELLOS AÑOS: EL SQUASH.

AT THE SAME TIME, RECAPTURING THE IDEA OF THE ROMAN THERMAE, AND WHICH INCORPORATES THE LEADING SPORT OF THAT PERIOD: SQUASH.

001
002
003
004
005
006
007
008
009
010
011
012
013
014
015
016
017
018
019
020
021
022
023
024
025
026
027
028
029
030
031
032
033
034
035
036
037
038
039
040
041
042
043
044
045
046
047
048
049
050
051
052
053
054
055
056
057
058
059
060
061
062
063
064
065
066
067
068
069
070
071
072
073
074
075
076
077
078
079
080
081
082
083

UN EDIFICIO EN PLENO CENTRO URBANO, CON NUEVE PLANTAS DEDICADAS AL DEPORTE. EL DISEÑO DE LA FACHADA EN RELACIÓN CON EL DESARROLLO INTERIOR DE LAS ACTIVIDADES FUE DETERMINANTE PARA PLANTEAR LAS ENTRADAS DE LUZ, SOBRETODO EN LAS SALAS DE ACTIVIDADES Y LA GRAN PISCINA, SITUADA EN LA ÚLTIMA PLANTA.

A BUILDING RIGHT IN THE CENTRE OF THE CITY, WITH NINE STORIES DEVOTED TO SPORT. THE DESIGN OF THE FAÇADE IN RELATION TO THE DEVELOPMENT OF THE INTERIOR ACTIVITIES WAS DECISIVE IN DETERMINING THE LIGHT INLETS, PARTICULARLY IN THE ACTIVITY ROOMS AND IN THE LARGE POOL LOCATED ON THE TOP FLOOR.

CLUB ARSENAL AUGUSTA
BARCELONA
1988

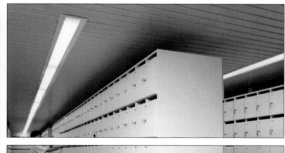

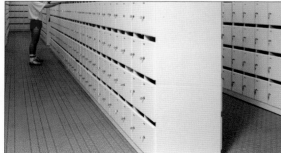

001
002
003
004
005
006
007
008
009
010
011
012
013
014
015
016
017
018
019
020
021
022
023
024
025
026
027
028
029
030
031
032
033
034
035
036
037
038
039
040
041
042
043
044
045
046
047
048
049
050
051
052
053
054
055
056
057
058
059
060
061
062
063
064
065
066
067
068
069
070
071
072
073
074
075
076
077
078
079
080
081
082
083

CLUB METROPOLITAN
BARCELONA

1989

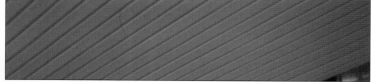

UN INTERIOR DE MANZANA, DONDE EL SQUASH
CUAJÓ CONTUNDENTEMENTE, A LA VEZ QUE
LOS ESPACIOS DEL AGUA.
LA ENTRADA DE LUZ NATURAL OBSESIVAMENTE
BUSCADA EN TODO MOMENTO PARA CONVERTIR
LA PLANTA DE LA PISCINA EN UN ESPACIO
PRÁCTICAMENTE EXTERIOR.

A SPACE IN THE INTERIOR OF A BLOCK, WHERE
SQUASH WAS A BIG SENSATION, AS WERE THE
WATER AREAS.
THE ENTRANCE OF NATURAL LIGHT WAS
OBSESSIVELY SOUGHT AT ALL TIMES TO
CONVERT THE POOL LEVEL INTO A PRACTICALLY
EXTERIOR SPACE.

001
002
003
004
005
006
007
008
009
010
011
012
013
014
015
016
017
018
019
020
021
022
023
024
025
026
027
028
029
030
031
032
033
034
035
036
037
038
039
040
041
042
043
044
045
046
047
048
049
050
051
052
053
054
055
056
057
058
059
060
061
062
063
064
065
066
067
068
069
070
071
072
073
074
075
076
077
078
079
080
081
082
083

CLUB EURóPOLIS SARDENYA
BARCELONA

2004

O COMO CONSEGUIR UN GRAN EQUIPAMIENTO DE BARRIO, BAJO UN CAMPO DE FÚTBOL DEL HISTÓRICO C.E. EUROPA, SE CONSIGUE UNA MAGNÍFICA PISTA POLIDEPORTIVA QUE JUNTO AL RESTO DE ACTIVIDADES HAN CONSEGUIDO SER UN REFERENTE DEL ENTORNO URBANO. LA LUZ INVADE EL SUBSUELO, ACCEDIENDO HÁBILMENTE BAJO LAS GRADAS DE LOS ESPECTADORES.

OR HOW TO ACHIEVE A GREAT NEIGHBOURHOOD FACILITY, UNDERNEATH A HISTORIC C.E. EUROPA FOOTBALL FIELD, WITH A MAGNIFICENT MULTISPORT COURT THAT, ALONG WITH THE OTHER ACTIVITIES, HAS BECOME A POINT OF REFERENCE WITHIN ITS URBAN ENVIRONMENT. LIGHT FILLS THE BASEMENT, SKILFULLY GAINING ACCESS THROUGH THE SPECTATORS' GRANDSTAND.

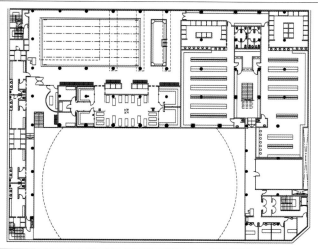

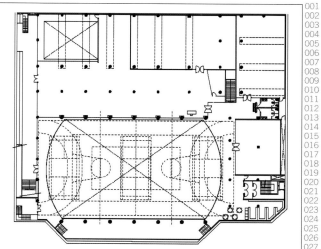

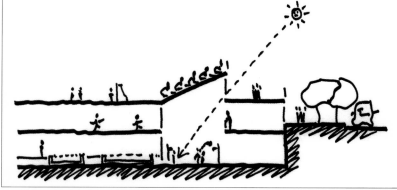

001
002
003
004
005
006
007
008
009
010
011
012
013
014
015
016
017
018
019
020
021
022
023
024
025
026
027
028
029
030
031
032
033
034
035
036
037
038
039
040
041
042
043
044
045
046
047
048
049
050
051
052
053
054
055
056
057
058
059
060
061
062
063
064
065
066
067
068
069
070
071
072
073
074
075
076
077
078
079
080
081
082
083

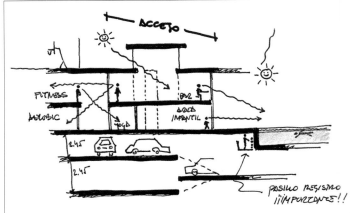

CLUB EURóPOLIS LES CORTS
BARCELONA

2005

UN EJEMPLO DE UTILIZACIÓN Y REHABILITACIÓN DEL SUBSUELO DE NUESTRAS CIUDADES, QUE SE EMPLAZA DONDE SE INSTALÓ EL PRIMER CAMPO DEL F.C.BARCELONA.
UN COMPLEJO SUBTERRÁNEO QUE SE ENCUENTRA RODEADO DE UN PATIO INGLÉS QUE LE APORTA LUZ NATURAL.

AN EXAMPLE OF THE USE AND REHABILITATION OF THE SPACE BELOW OUR CITIES, LOCATED WHERE THE FIRST F.C. BARCELONA FIELD WAS INSTALLED.
AN UNDERGROUND COMPLEX SURROUNDED BY AN AREAWAY THAT CONTRIBUTES NATURAL LIGHT.

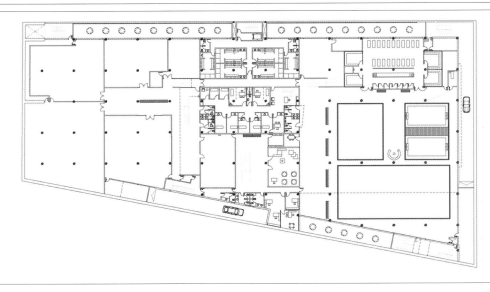

DESTACA EL PESO QUE SOBRE EL PROGRAMA
LA ZONA DE AGUAS CON TRES PISCINAS (DE
NATACIÓN, DE ACTIVIDADES DIRIGIDAS Y
TERMAL), BAÑOS DE VAPOR, FUENTES DE HIELO
Y ZONA DE RELAJACIÓN.

A HIGHLIGHT OF THE PROGRAM IS THE
IMPORTANCE GIVEN TO THE WATER AREA, WITH
THREE POOLS (FOR SWIMMING, FOR CLASSES
AND THERMAL), STEAM BATHS, ICE FOUNTAINS
AND A RELAXATION AREA.

001
002
003
004
005
006
007
008
009
010
011
012
013
014
015
016
017
018
019
020
021
022
023
024
025
026
027
028
029
030
031
032
033
034
035
036
037
038
039
040
041
042
043
044
045
046
047
048
049
050
051
052
053
054
055
056
057
058
059
060
061
062
063
064
065
066
067
068
069
070
071
072
073
074
075
076
077
078
079
080
081
082
083

DEL FITNESS AL WELLNESS, NECESIDADES DEL MERCADO ACTUAL Y TENDENCIAS DEL FUTURO

Nació el Fitness, allá por los años 60, cuando el Dr. Kenneth Cooper popularizó las actividades aeróbicas; primero el footing, luego el aeróbic (de la mano de Jackie Sorensen), y más adelante cualquier manifestación de trabajo aeróbico (larga duración, baja /media intensidad). Supuso en aquel entonces el primer gran paso en la mejora de la calidad de vida para gran parte de la población americana. De esta manera, se empiezó a tomar conciencia del beneficio que suponía la práctica de ejercicio físico para la salud.

El Fitness se relaciona con intentar conseguir una calidad de vida óptima (a nivel de condición física), contribuyendo a minimizar el riesgo para desarrollar problemas de salud. Podemos distinguir en este momento la diferencia entre actividad física y ejercicio físico; mientras que actividad física se refiere a cualquier movimiento producido por los músculos esqueléticos y que producen un gasto energético, nos referiremos al termino ejercicio físico cuando esa actividad física sea planificada, estructurada y repetitiva buscando la mejora de alguno de los componentes del Fitness.

Los principales factores relacionados con el Fitness y asociados a posteriores beneficios para la salud son: realizar programas de ejercicio físico de manera regular, dormir el número de horas adecuado, llevar una alimentación correcta, sobre todo, en el desayuno, controlar el peso corporal, abstenerse de fumar, moderar y/o evitar las bebidas alcohólicas.

Los objetivos del Fitness resultan ser obtener una base de salud física positiva y mantener un riesgo mínimo de padecer problemas de salud, lo que se basa por unas características hereditarias favorables y unos niveles adecuados de colesterol en la sangre, etc. Se introduce el concepto de Fitness total definiéndolo como el esfuerzo por conseguir el mejor nivel de vida posible, incluyendo los componentes mental, social, espiritual y físico. Se empieza así a hablar de bienestar, introduciendo entonces el concepto de Wellness.

Para el siglo XXI, la integración del concepto de salud y bienestar será fundamental y tendremos que concienciarnos de que hemos de cuidar de nuestro entero ser (cuerpo, mente y espíritu). De no ser así llegaremos a convivir con enfermedades psico-somáticas y trastornos emocionales (depresión, ansiedad, abuso de sustancias farmacológicas, entre otras), y no retrasaríamos nuestro proceso de envejecimiento sufriendo procesos degenerativos como la artrosis cada vez a más años vista de nuestra senectud (la esperanza de vida para los recién nacidos es, hoy en día, de 120 años aproximadamente). Debemos crear conciencia de que podemos medir los niveles de colesterol en la sangre, la tensión arterial, el peso, etc., pero no así los niveles de soledad, falta de amor, autoestima o socialización. Estos factores emocionales y sociales se considerarán también "necesidades básicas" imperativas, como lo es el respirar; por lo que su ausencia nos llevaría finalmente al deterioro físico.

EL FITNESS: MERCADO ACTUAL Y EVOLUCIÓN

En los últimos años ha crecido el afán individual por contribuir a la consecución de la salud propia. Entendida tradicionalmente como un don, se ha convertido en un bien comunitario y su mantenimiento ha pasado a ser entrenamiento y placer.

La necesidad de la práctica regular de ejercicio físico ha provocado que hayan aflorado muchos centros de Fitness venidos de operadores de origen diverso que buscan ambiciosos planes de expansión de sus respectivas compañías. A modo de ejemplo, el siguiente cuadro nos señala la situación internacional en lo que a número de centros y número de abonados se refiere.

COMPONENTES DEL FITNESS	BENEFICIOS PARA LA SALUD
Resistencia	Reducción del riesgo de enfermedades cardiovasculares
Composición corporal	Reducción del riesgo de enfermedades cardiovasculares Reducción del riesgo de diabetes Reducción del riesgo de cáncer
Fuerza muscular	Reducción del riesgo de dolores lumbares Aumento de la capacidad funcional Mejoría y manutención de la postura Habilidad para realizar las tareas diarias
Resistencia muscular	Ventajas semejantes a las de la fuerza muscular
Flexibilidad	Ventajas semejantes a las de la fuerza muscular

TABLA 1. Relación entre los componentes del Fitness y los beneficios para la salud según el ACSM.

RÁNKING	COMPAÑIA	Nº CENTROS	PROPIEDAD
1	Gold's Gym International, Inc.	565	9 & 556
2	24 Hour Fitness Worldwide	431	431
3	Powerhouse Gym International	405	35 & 370
4	Bally Total Fitness Corporation	390	385 & 5
5	World Gym International, Inc.	277	277
6	Lady of America Franchise Corp.	240	240
7	ClubCorp USA, Inc.	227	227
8	Companie Gymnase Club	199	39 & 160
9	Health Fitness Corporation	152	152
10	Central Sports Company, Ltd.	150	84 & 661
11	Konami Sports Corp. (People)	147	119 & 28
12	Fitness First PLC	146	146
13	Town Sports International, Inc.	110	105 & 52
14	Virgin Active Holdings Limited	95	95
15	Living Well Health & Leisure Ltd.	78	221 & 55

La evolución del propio mercado del Fitness conduce también a pequeños cambios de preferencia en relación al tipo de ejercicio físico elegido para la mejora de la condición física y la salud. Analizando las actividades más ofertadas en los centros de Fitness, se deduce cuales son las tendencias con mayor aceptación: entrenador personal, sesiones de Fitness muscular dirigidas, sesiones de actividades dirigidas aeróbicas, programas de ejercicio físico, sesiones de tipo circuito, sesiones de estiramientos, sesiones de step, sesiones de actividades dirigidas con movimientos de boxeo y sesiones específicas de abdominales. El equipamiento más utilizado por los usuarios es el tapiz rodante, el peso libre, las elípticas, las bicicletas reclinadas, las máquinas de Fitness muscular, las bicicletas, la máquina de Step, las poleas, las barras y discos, las plataformas y bases de Steps.
Las actividades dirigidas de mayor auge, son las sesiones de "Core conditioning", sesiones de flexibilidad y estiramientos, Yoga, técnica de Pilates, sesiones combinadas, sesiones de

001
002
003
004
005
006
007
008
009
010
011
012
013
014
015
016
017
018
019
020
021
022
023
024
025
026
027
028
029
030
031
032
033
034
035
036
037
038
039
040
041
042
043
044
045
046
047
048
049
050
051
052
053
054
055
056
057
058
059
060
061
062
063
064
065
066
067
068
069
070
071
072
073
074
075
076
077
078
079
080
081
082
083

RÁNKING	COMPAÑIA	Nº CENTROS	PROPIEDAD
16	L.A. Fitness International, LLC	75	75
17	The Fitness Company	73	27 & 46
18	WTS International, Inc.	70	8 & 62
19	Club One, Inc.	68	20 & 48
20	Daiei Olympic Sports Club, Inc.	65	N/C
21	American Leisure Corporation	63	1 & 62
22	Holmes Place, Plc	59	N/C
23	Fitness Formula	58	7 & 51
24	Healthtrax	54	12 & 42
25	DIC Renaissance, Inc.	52	45, 6 & 1

TABLA 2. Compañías internacionales de centros de Fitness y número de centros que gestionan

RÁNKING	COMPAÑIA	Nº DE ABONADOS
1	Bally Total Fitness Corporation	4.000.000
2	24 Hour Fitness Worldwide	2.700.000
3	Gold's Gym International, Inc.	2.000.000
4	Powerhouse International	1.980.000
5	Konami Sports Corp. (People)	607.800
6	World Gym International, Inc.	560.000
7	Central Sports Company, Ltd.	350.000
8	Fitness First PLC	340.000
9	Organizacion Britania	336.000
10	Town Sports International, Inc.	300.000
11	Virgin Active Holdings Limited	283.000
12	LIFE TIME FITNESS, Inc.	270.000
13	The Wellbridge Company	200.000
14	DIC Renaissance, Inc.	180.000
15	Cannons Group Plc	167.000
16	Holmes Place, Plc	165.000
17	Daiei Olympic Sports Club, Inc.	148.000
18	Esporta Plc	147.000
19	Lady of America Franchise Corp.	125.000
20	Living Well Health & Leisure Ltd.	122.000
21	Health Fitness Corporation	121.000
22	Nippon Athletic Service Company	110.000
23	Crunch Fitness	106.000
24	Tennis Corporation of America (TCA)	103.000
25	The Fitness Company	100.000

TABLA 3. Compañías internacionales de centros de Fitness y número de abonados que poseen

gimnasias suaves (Mind modalities), entrenador personal en pequeños grupos, preparación física específica de deportes concretos, sesiones con balones gigantes (Fit ball), sesiones de ciclismo indoor, paseos, sesiones de Fitness acuático, programas de Wellness y actividades al aire libre.
Entre las tendencias que van disminuyendo se encuentran las sesiones de actividades dirigidas con movimientos de boxeo, las sesiones de actividades dirigidas combinadas con movimientos de artes marciales y las sesiones de remo indoor.

Como debe ser un centro de Wellness:

El centro de Wellness tipo debe seguir unas directrices concretas y debe, a su vez, conseguir un posicionamiento y unos valores de identidad que se reflejan en los siguientes puntos:

•Prevención de las disfunciones físicas y psicofísicas, y mantenimiento y/o mejora del estado de salud. Esto es posible gracias a una consulta médica preventiva y personalizada, a la realización de programas de ejercicio físico seguros, efectivos e individualizados. Finalmente, ha de contar con un seguimiento personalizado.

•Es necesario proyectar una visión global del ejercicio físico que permita acceder al beneficio físico y mental. Para ello es necesario tener una visión integrada de los servicios y estar atento a las necesidades de nuestros clientes.

•Hay que elevar la práctica del programa de ejercicio físico a la excelencia mediante una inmejorable calidad de la oferta, a través de un equipo técnico cualificado, contando con la última tecnología en equipamientos y procurando unas instalaciones lo más confortables posible y de alto standing.

•Se trata de llegar a la eficacia de los programas, de los servicios y de la gestión de los recursos humanos.

•Competencia en cuanto a la posibilidad de contar con los mejores profesionales y técnicos del mercado. Asimismo, es obligado realizar una cuidadosa selección y diseñar un programa de formación para el personal de contacto que

garantice la competencia de la plantilla.

•Es fundamental invertir en los recursos y conocimientos necesarios para dotar al centro con la última tecnología.

•Hay que conseguir una singular e innovadora concepción del ejercicio físico y prevención de disfunciones físicas y psicofísicas mediante servicios especiales, programas personalizados, tipología del edificio, maquinaria y en las técnicas de contacto con el usuario.

•El centro de Wellness necesita de un alto estándar de confort que se consigue a través de captar los mejores ambientes, mobiliario, arquitectura, interiorismo, señalización, servicios y atención.

•Hay que ofrecer garantía ofreciendo los medios para medir los resultados.

En general, podemos decir que los clubes orientados al Wellness no se preocupan solo y exclusivamente del programa de ejercicio físico sino que cuidan de cada elemento del Wellness. El centro que reflejará más fielmente la filosofía del Wellness será aquel que valore el equipamiento, al técnico y el ambiente.

Isidre Sistaré y Francesc Cos
(Texto extraído del estudio "Del Fitness al Wellness, necesidades del mercado actual y tendencias de futuro" d'Isidre Sistaré i Francesc Cos, que recibió en 2002 el "VII Premi d'Articles sobre l'Activitat Física i Esportiva" convocado por el Col·legi de Llicenciats en Educació Física i Ciències de l'Activitat Física i l'Esport de Catalunya)

001
002
003
004
005
006
007
008
009
010
011
012
013
014
015
016
017
018
019
020
021
022
023
024
025
026
027
028
029
030
031
032
033
034
035
036
037
038
039
040
041
042
043
044
045
046
047
048
049
050
051
052
053
054
055
056
057
058
059
060
061
062
063
064
065
066
067
068
069
070
071
072
073
074
075
076
077
078
079
080
081
082
083

FROM FITNESS TO WELLNESS, CURRENT MARKET NEEDS AND FUTURE TRENDS

Fitness was born in the 1960s, when Dr. Kenneth Cooper popularised aerobic activities; first jogging, then aerobics (along with Jackie Sorensen), and later any form of aerobic work (long duration, low/medium intensity). At that time it was the first big step towards improving the quality of life of a large part of the American population, which then began to be aware of the benefits of physical exercise on overall health.

Fitness is related to trying to achieve optimal quality of life (in terms of one's physical condition), and contributing to the lowering the risks of developing health problems. Physical activity and physical exercise are not synonymous; physical activity refers to any movement produced by the skeletal muscles that expends energy, while we use the term 'physical exercise' when that physical activity is planned, structured and repetitive in an attempt to improve one or more of the fitness components.

The main factors related to fitness and associated with the subsequent health benefits are: carrying out physical fitness programs regularly, sleeping the necessary number of hours, eating correctly, especially at breakfast time, controlling body weight, abstaining from smoking, and cutting down on or avoiding alcoholic beverages.

The objectives of fitness are obtaining a base of positive physical health and maintaining a low risk of suffering health problems, which is based on favourable hereditary characteristics and acceptable levels of blood cholesterol, etc. The concept of total fitness is defined as the effort to achieve the best quality of life possible, which includes physical, spiritual, social and mental components.

This leads us to speak of wellbeing, which introduces the concept of wellness.

In the 21st century, the integration of the concept of health and wellbeing will be fundamental and we will have to become aware that we have to take care of our entire being (body, mind and spirit). Otherwise we will suffer psychosomatic illnesses and emotional disorders (depression, anxiety, substance abuse, among others), and we would not slow down our aging process, leading to degenerative complaints such as arthrosis increasingly earlier (life expectancy for newborns today is approximately 120 years). We must realise that we can measure the levels of cholesterol in our blood, our blood pressure, our weight, etc., but not our levels of loneliness, lack of love, self-esteem or socialisation. These social and emotional factors must also be considered essential "basic needs" like breathing, whose absence eventually leads to physical deterioration.

FITNESS: CURRENT MARKET AND DEVELOPMENT

In recent years we have seen a rise in individuals' desire to contribute to attaining their own healthiness. Traditionally understood as a gift, health has become a communal asset and its maintenance, once considered training, is now considered pleasure.

The need to regularly practice physical exercise has promoted the appearance of many fitness centres whose operators come from various countries and have ambitious expansion plans for their respective companies. As an example, the following charts show the current international situation in terms of number of centres and the numbers of members that each centre has.

The fitness market's development also leads to small preferential changes in terms of the type of physical exercise chosen to improve one's physical condition and health. Through an analysis of the activities most offered in fitness centres, the most popular trends can be inferred: personal training, muscular fitness classes, aerobics classes, physical exercise programs, circuit sessions, stretching sessions, step sessions, classes using boxing training, and abdominal-specific sessions.

The exercise equipment most used by members are the treadmills, free weight machines, elliptical trainers, recumbent bicycles, muscular fitness machines, stationary bicycles, the Step machine, pulleys, benches and racks, and risers and steps for step aerobics.

The most popular classes are the Core conditioning sessions, flexibility and stretching sessions, yoga, Pilates technique, combined

COMPONENTS OF FITNESS	HEALTH BENEFITS
Endurance	Lowered risk of cardiovascular illness
Body composition	Lowered risk of cardiovascular illness Lowered risk of diabetes Lowered risk of cancer
Muscular strength	Lowered risk of lumbar pain Increased functional capacity Improved and maintained posture Increased skill for daily tasks
Muscular endurance	Advantages similar to those of muscular strength
Flexibility	Advantages similar to those of muscular strength

TABLE 1. The relationship between the components of Fitness and health benefits according to the ACSM.

RANKING	COMPANY	Nº CENTRES
1	Gold's Gym International, Inc.	565
2	24 Hour Fitness Worldwide	431
3	Powerhouse Gym International	405
4	Bally Total Fitness Corporation	390
5	World Gym International, Inc.	277
6	Lady of America Franchise Corp.	240
7	ClubCorp USA, Inc.	227
8	Companie Gymnase Club	199
9	Health Fitness Corporation	152
10	Central Sports Company, Ltd.	150
11	Konami Sports Corp. (People)	147
12	Fitness First PLC	146
13	Town Sports International, Inc.	110
14	Virgin Active Holdings Limited	95
15	Living Well Health & Leisure Ltd.	78
16	L.A. Fitness International, LLC	75
17	The Fitness Company	73
18	WTS International, Inc.	70
19	Club One, Inc.	68
20	Daiei Olympic Sports Club, Inc.	65
21	American Leisure Corporation	63
22	Holmes Place, Plc	59
23	Fitness Formula	58
24	Healthtrax	54
25	DIC Renaissance, Inc.	52

TABLE 2. International Fitness Centre companies and the number of centres

001
002
003
004
005
006
007
008
009
010
011
012
013
014
015
016
017
018
019
020
021
022
023
024
025
026
027
028
029
030
031
032
033
034
035
036
037
038
039
040
041
042
043
044
045
046
047
048
049
050
051
052
053
054
055
056
057
058
059
060
061
062
063
064
065
066
067
068
069
070
071
072
073
074
075
076
077
078
079
080
081
082
083

sessions, mild exercises (body/mind modalities), personal training in small groups, physical preparation specific to particular sports, Fit ball, spinning, walks, aquagym, wellness programs and outdoor activities.

Among the trends on the decline are classes involving boxing movements, classes combined martial arts movements, and indoor rowing sessions.
How a wellness centre should be:

A typical wellness centre should follow concrete guidelines and, at the same time, achieve a positioning and identity values that reflect the following points:

•Prevention of physical and psychophysical disorders, and maintenance and/or improvement of health status. This is achieved through preventive, personalised medical consultations, combined with safe, effective and individualised physical exercise programs. Finally, there must be personalised follow up.

•It is necessary to project a global vision of physical exercise that allows members to achieve mental and physical benefits. This requires both an integrated vision of services and attentiveness to the needs of clients.

•The practice of physical exercise programs must be raised to the level of excellence through top-quality offerings, with a qualified training staff, the latest technology in equipment and ensuring that the facilities are of the highest quality and as comfortable as possible.

•The programs, services and management of human resources should strive to be as efficient as possible.

•Competence in acquiring the best trainers and professionals on the market. Likewise, they must be carefully selected and a training program must be designed for those that deal with the public in order to guarantee the competence of the staff.

•It is essential to invest in the necessary knowledge and resources in order to endow the centre with the latest technology.

•An innovative and unique concept of physical exercise and the prevention of physical and psychophysical disorders must be achieved, through special services, personalised programs, building typology, equipment and trainers that work directly with the members.

•Wellness centres need a high level of comfort, which is achieved through the best atmospheres, furnishings, architecture, interior design, signage, services and attention.

•A guarantee must be offered, along with the means to measure results.

In general, we can say that the clubs oriented toward wellness do not only and exclusively ensure the quality of the physical exercise programs, but must also make sure to fulfil each wellness element. The centre that most faithfully reflects the wellness philosophy will be that one that takes into account the equipment, the trainers and the atmosphere.

Isidre Sistaré and Francesc Cos
(Text taken from the study "Del Fitness al Wellness, necesidades del mercado actual y tendencias de futuro" by Isidre Sistaré and Francesc Cos, who received in 2002 the "VII Prize for Articles on Sports and Physical Activity" awarded by the Col·legi de Llicenciats en Educació Física i Ciències de l'Activitat Física i l'Esport de Catalunya.)

RANKING	COMPANY	N° OF MEMBERS
1	Bally Total Fitness Corporation	4.000.000
2	24 Hour Fitness Worldwide	2.700.000
3	Gold's Gym International, Inc.	2.000.000
4	Powerhouse International	1.980.000
5	Konami Sports Corp. (People)	607.800
6	World Gym International, Inc.	560.000
7	Central Sports Company, Ltd.	350.000
8	Fitness First PLC	340.000
9	Organizacion Britania	336.000
10	Town Sports International, Inc.	300.000
11	Virgin Active Holdings Limited	283.000
12	LIFE TIME FITNESS, Inc.	270.000
13	The Wellbridge Company	200.000
14	DIC Renaissance, Inc.	180.000
15	Cannons Group Plc	167.000
16	Holmes Place, Plc	165.000
17	Daiei Olympic Sports Club, Inc.	148.000
18	Esporta Plc	147.000
19	Lady of America Franchise Corp.	125.000
20	Living Well Health & Leisure Ltd.	122.000
21	Health Fitness Corporation	121.000
22	Nippon Athletic Service Company	110.000
23	Crunch Fitness	106.000
24	Tennis Corporation of America (TCA)	103.000
25	The Fitness Company	100.000

TABLE 3. International Fitness Centre companies and the number of members they have

CLUB HOLMES PLACE
BARCELONA

SU MAGNÍFICO (E INUSUAL POR AQUELLA ÉPOCA) EMPLAZAMIENTO, UN INTERIOR DE MANZANA DEL ENSANCHE BARCELONÉS, PLANTEÓ UN GRAN RETO: COMO CONSEGUIR QUE LA LUZ NATURAL SE DESPARRAME EN TODAS SUS ESTANCIAS. Y LO CONSEGUIMOS.

ITS MAGNIFICENT (AND UNUSUAL FOR ITS TIME) LOCATION -THE INTERIOR OF A BLOCK OF THE ENSANCHE IN BARCELONA- GAVE RISE TO A REAL CHALLENGE: HOW TO GET NATURAL LIGHT TO FILTER INTO EVERY ROOM. AND WE MANAGED TO DO IT.

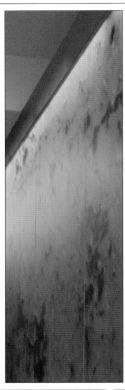

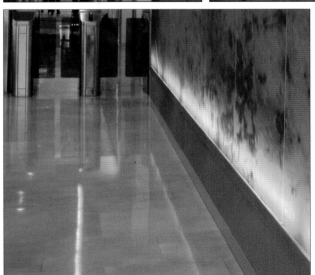

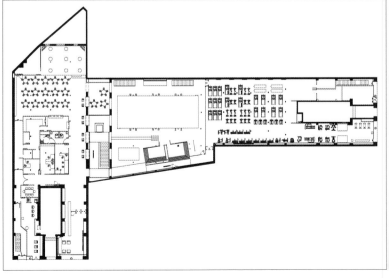

001
002
003
004
005
006
007
008
009
010
011
012
013
014
015
016
017
018
019
020
021
022
023
024
025
026
027
028
029
030
031
032
033
034
035
036
037
038
039
040
041
042
043
044
045
046
047
048
049
050
051
052
053
054
055
056
057
058
059
060
061
062
063
064
065
066
067
068
069
070
071
072
073
074
075
076
077
078
079
080
081
082
083

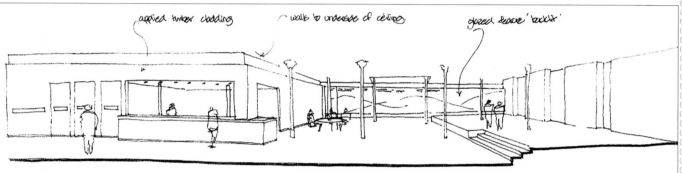

applied timber cladding   walls to underside of ceilings   glazed screen 'backlit'

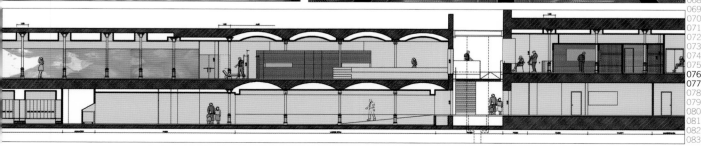

UN CENTRO CONVERTIDO EN LA ACTUALIDAD EN UNA REFERENCIA PARA LATINOAMÉRICA, POR SU PROGRAMA, LA PROMISCUIDAD FUNCIONAL Y UNA ARQUITECTURA QUE BUSCA EL DIÁLOGO CON EL ENTORNO Y EL USUARIO.

A CENTRE WHICH HAS NOW BECOME A MODEL FOR LATIN AMERICA, DUE TO ITS PROGRAM, ITS FUNCTIONAL PROMISCUITY AND AN ARCHITECTURE THAT SEEKS TO CREATE A DIALOGUE WITH THE SETTING AND THE USER.

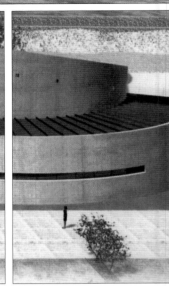

CLUB BALTHUS
SANTIAGO DE CHILE

2004

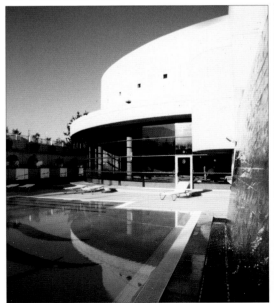

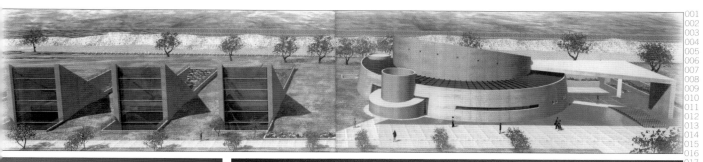

001
002
003
004
005
006
007
008
009
010
011
012
013
014
015
016
017
018
019
020
021
022
023
024
025
026
027
028
029
030
031
032
033
034
035
036
037
038
039
040
041
042
043
044
045
046
047
048
049
050
051
052
053
054
055
056
057
058
059
060
061
062
063
064
065
066
067
068
069
070
071
072
073
074
075
076
077
078
079
080
081
082
083

UN ANTIGUO CLUB DE TENIS
RECONVERTIDO Y ACTUALIZADO, EN
RÉGIMEN DE CONCESIÓN
ADMINISTRATIVA, UNA SOLUCIÓN DE
GESTIÓN NOVEDOSA EN ESE MOMENTO
PARA LA ADMINISTRACIÓN PÚBLICA
CHILENA.

A FORMER TENNIS CLUB CONVERTED
AND MODERNISED THROUGH
GOVERNMENT FRANCHISE, AN
INNOVATIVE MANAGEMENT SOLUTION AT
THE TIME FOR THE CHILEAN CIVIL
SERVICE.

001
002
003
004
005
006
007
008
009
010
011
012
013
014
015
016
017
018
019
020
021
022
023
024
025
026
027
028
029
030
031
032
033
034
035
036
037
038
039
040
041
042
043
044
045
046
047
048
049
050
051
052
053
054
055
056
057
058
059
060
061
062
063
064
065
066
067
068
069
070
071
072
073
074
075
076
077
078
079
080
081
082
083

CENTRO WELLNESS 02 PARC DEL MIGDIA
GIRONA

2003

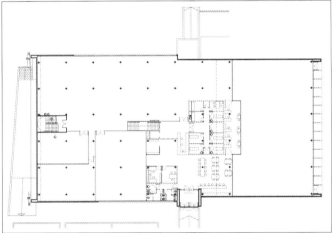

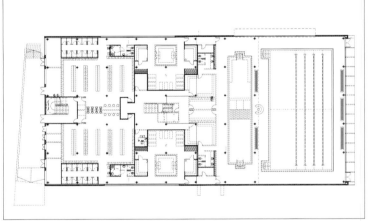

UN EQUIPAMIENTO EN RÉGIMEN DE
CONCESIÓN ADMINISTRATIVA QUE
COMPLETÓ CON LA ANEXA BIBLIOTECA
ERNEST LLUCH UN SERVICIO
COMUNITARIO EN EL INTERIOR DEL PARC
DEL MIGDIA; UN GRAN ESPACIO CON
EQUIPAMIENTOS QUE GANÓ LA CIUDAD
FRUTO DE LA RECONVERSIÓN DE UNOS
CUARTELES MILITARES.

A GOVERNMENT-FRANCHISED FACILITY
THAT, ALONG WITH THE ADJACENT
ERNEST LLUCH LIBRARY, CREATED A
COMMUNITY SERVICE CENTRE WITHIN
THE PARC DEL MIGDIA; A LARGE SPACE
WITH FACILITIES THAT THE CITY GAINED
AS A RESULT OF THE RESTRUCTURING
OF SOME MILITARY BARRACKS.

001
002
003
004
005
006
007
008
009
010
011
012
013
014
015
016
017
018
019
020
021
022
023
024
025
026
027
028
029
030
031
032
033
034
035
036
037
038
039
040
041
042
043
044
045
046
047
048
049
050
051
052
053
054
055
056
057
058
059
060
061
062
063
064
065
066
067
068
069
070
071
072
073
074
075
076
077
078
079
080
081
082
083

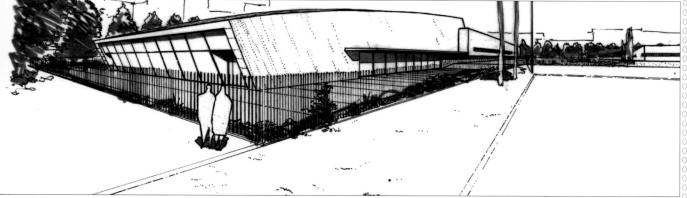

BIBLIOTECA "ERNEST LLUCH" ANEXA AL EQUIPAMIENTO Y CONSTRUIDA GRACIAS A EL.

THE "ERNEST LLUCH" LIBRARY ATTACHED TO THE FACILITY AND BUILT THANKS TO IT.

084
085
086
087
088
089
090
091
092
093
094
095
096
097
098
099
100
101
102
103
104
105
106
107
108
109
110
111
112
113
114
115
116
117
118
119
120
121
122
123
124
125
126
127
128
129
130
131
132
133
134
135
136
137
138
139
140
141
142
143
144
145
146
147
148
149
150
151
152
153
154
155
156
157
158
159
160
161
162
163
164
165
166

CENTRO WELLNESS 02
PISCINAS SEVILLA
SEVILLA

2003

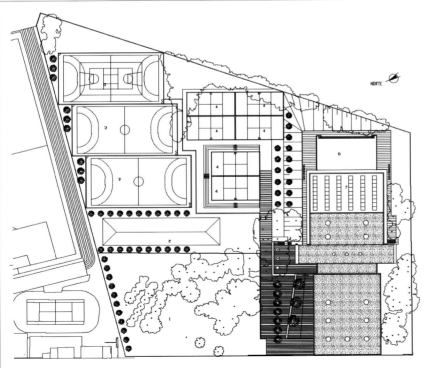

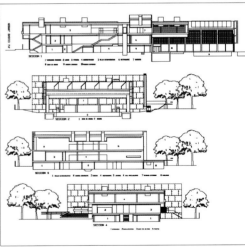

084
085
086
087
088
089
090
091
092
093
094
095
096
097
098
099
100
101
102
103
104
105
106
107
108
109
110
111
112
113

UNAS ANTIGUAS PISCINAS MUNICIPALES, RECONVERTIDAS MEDIANTE LA CONCESIÓN ADMINISTRATIVA EN UN GRAN EQUIPAMIENTO DE CIUDAD. EL EDIFICIO DEBÍA RESOLVER EL PROGRAMA FUNCIONAL Y AJUSTARSE AL PRESUPUESTO SIN RENUNCIAR A LA ARQUITECTURA.

FORMER MUNICIPAL POOLS, CONVERTED THROUGH GOVERNMENT FRANCHISE INTO A LARGE CITY FACILITY. THE BUILDING HAD TO RESOLVE THE FUNCTIONAL PROGRAM AND ADAPT TO THE BUDGET WITHOUT RENOUNCING THE ARCHITECTURE.

114
115
116
117
118
119
120
121
122
123
124
125
126
127
128
129

130
131
132
133
134
135
136
137
138
139
140
141
142
143
144
145
146
147

148
149
150
151
152
153
154
155
156
157
158
159
160
161
162
163
164
165
166

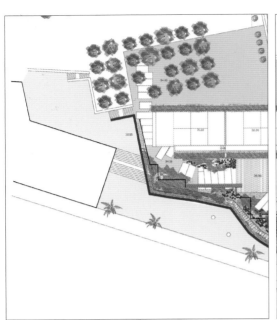
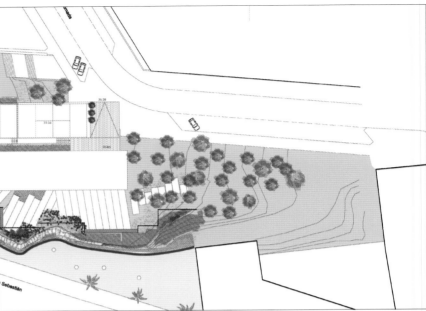

CENTRO WELLNESS 02
HUELVA

2006

UN LARGO Y SINUOSO MURO DE
PIEDRA, COMO REFERENCIA Y
ENTRONQUE CON EL TERRENO FUE
EL PUNTO DE PARTIDA DEL
PROYECTO.

A LONG, SINUOUS STONE WALL,
WHICH SERVES AS A POINT OF
REFERENCE AND A CONNECTION TO
THE SURROUNDING LAND, WAS THE
STARTING POINT OF THE PROJECT.

084
085
086
087
088
089
090
091
092
093
094
095
096
097
098
099
100
101
102
103
104
105
106
107
108
109
110
111
112
113
114
115
116
117
118
119
120
121
122
123
124
125
126
127
128
129
130
131
132
133
134
135
136
137
138
139
140
141
142
143
144
145
146
147
148
149
150
151
152
153
154
155
156
157
158
159
160
161
162
163
164
165
166

TAMBIÉN UN LOCAL DE PLANTA BAJA PUEDE DEVENIR EN UN EXITOSO CENTRO.

A GROUND-FLOOR PROPERTY CAN ALSO BE TURNED INTO A SUCCESSFUL CENTRE.

CENTRO WELLNESS 02
ADEMUZ VALENCIA

2005

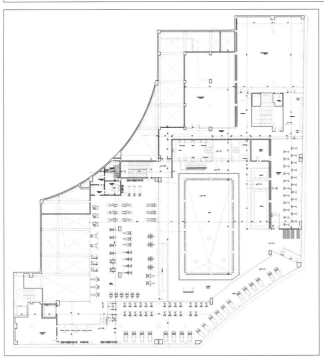

084
085
086
087
088
089
090
091
092
093
094
095
096
097
098
099
100
101
102
103
104
105
106
107
108
109
110
111
112
113
114
115
116
117
118
119
120
121
122
123
124
125
126
127
128
129
130
131
132
133
134
135
136
137
138
139
140
141
142
143
144
145
146
147
148
149
150
151
152
153
154
155
156
157
158
159
160
161
162
163
164
165
166

CENTRO WELLNESS O2
PEDRALBES
BARCELONA

2003

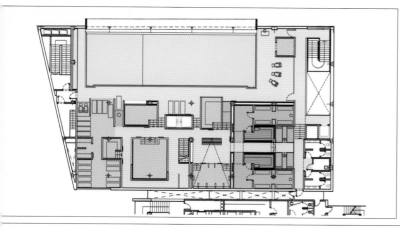

UN COMPLEJO DESTINADO A LA
SALUD Y EL DEPORTE, UN EDIFICIO
EXTROVERTIDO (LA CLÍNICA
C.I.M.A. ES UN CUBO DE CRISTAL)
Y OTRO INTROVERTIDO (EL CLUB
WELLNESS 02 ES UN VOLUMEN
DE PIEDRA QUE SE ABRE POR LA
FACHADA POSTERIOR AL PARQUE
DE SANTA AMÈLIA) UNIDOS POR
UNA RÓTULA ARTICULADORA
DONDE SE UBICA EL TRANSPORTE
VERTICAL.

A COMPLEX DEVOTED TO HEALTH
AND SPORT, AN EXTROVERTED
BUILDING (THE C.I.M.A. CLINIC IS
A GLASS CUBE) AND AN
INTROVERTED ONE (THE CLUB
WELLNESS 02 IS A STONE VOLUME
THAT OPENS ON THE REAR
FAÇADE INTO THE SANTA AMÈLIA
PARK) LINKED BY A HINGE JOINT
IN WHICH THE VERTICAL
TRANSPORT IS LOCATED.

084
085
086
087
088
089
090
091
092
093
094
095
096
097
098
099
100
101
102
103
104
105
106
107
108
109
110
111
112
113
114
115
116
117
118
119
120
121
122
123
124
125
126
127
128
129
130
131
132
133
134
135
136
137
138
139
140
141
142
143
144
145
146
147
148
149
150
151
152
153
154
155
156
157
158
159
160
161
162
163
164
165
166

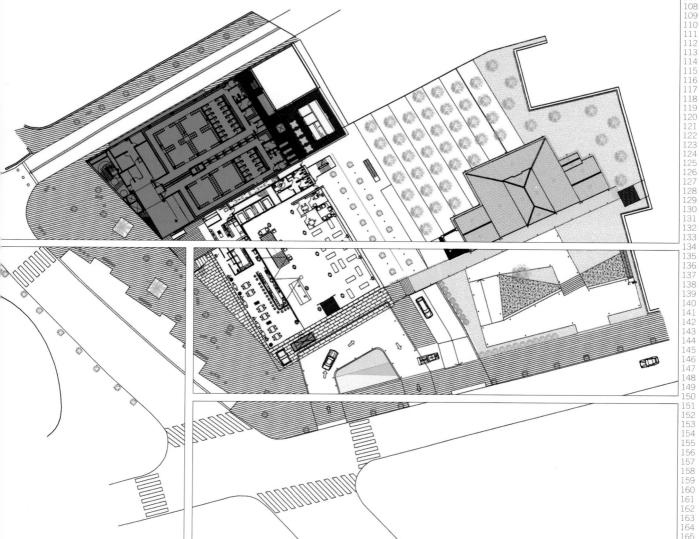

THE QUALITY AND WARMTH OF MATERIALS AND
ATMOSPHERES ACHIEVED COMBINE TO CREATE A
SPORT CLUB AND A HEALTH AND BEAUTY CENTRE.

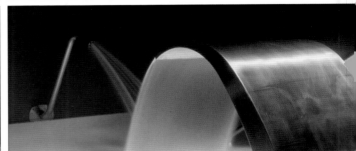

084
085
086
087
088
089
090
091
092
093
094
095
096
097
098
099
100
101
102
103
104
105
106
107
108
109
110
111
112
113
114
115
116
117
118
119
120
121
122
123
124
125
126
127
128
129
130
131
132
133
134
135
136
137
138
139
140
141
142
143
144
145
146
147
148
149
150
151
152
153
154
155
156
157
158
159
160
161
162
163
164
165
166

EL PROYECTO BUSCA EN TODO MOMENTO QUE EL PROGRAMA SE INTEGRE EN LA ARQUITECTURA, A LA VEZ QUE LA ENTRADA DE LUZ NATURAL Y LAS VISIONES CRUZADAS SON DOS CONSTANTES DEL CENTRO.

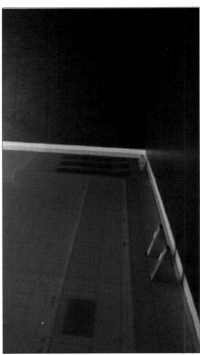

THE PROJECT STRIVES AT ALL TIMES TO INTEGRATE ITSELF IN THE ARCHITECTURE, WHILE THE USE OF NATURAL LIGHT AND CROSSED SIGHTLINES ARE TWO CONSTANTS OF THE CENTRE.

CENTRO WELLNESS O2
NEPTUNO GRANADA

2005

084
085
086
087
088
089
090
091
092
093
094
095
096
097
098
099
100
101
102
103
104
105
106
107
108
109
110
111
112
113
114
115
116
117
118
119
120
121
122
123
124
125
126
127
128
129
130
131
132
133
134
135
136
137
138
139
140
141
142
143
144
145
146
147
148
149
150
151
152
153
154
155
156
157
158
159
160
161
162
163
164
165
166

CLUB METROPOLITAN
GRAN VIA
HESPERIA TOWER
L'HOSPITALET. BCN
2006

084
085
086
087
088
089
090
091
092
093
094
095
096
097
098
099
100
101
102
103
104
105
106
107
108
109
110
111
112
113
114
115
116
117
118
119
120
121
122
123
124
125
126
127
128
129
130
131
132
133
134
135
136
137
138
139
140
141
142
143
144
145
146
147
148
149
150
151
152
153
154
155
156
157
158
159
160
161
162
163
164
165
166

TODOS LOS ESPACIOS DEL CLUB HAN SIDO DISEÑADOS Y ESTUDIADOS PARA OFRECER A SUS USUARIOS UN LUGAR DONDE PRACTICAR DEPORTE, SALUD Y BIENESTAR. ESTE ÚLTIMO CONCEPTO, ES EN REALIDAD EL MÁS IMPORTANTE Y PARA ELLO SE HA CONTADO CON UN DISEÑO ESPECIAL, QUE PRETENDE HUIR DE LA ESTÉTICA HABITUAL DE CLUB DEPORTIVO.

EACH SPACE INSIDE THE CLUB HAS BEEN DESIGNED AND STUDIED IN ORDER TO OFFER USERS A SPACE TO PRACTICE SPORTS, HEALTH AND WELLBEING. THIS LAST CONCEPT IS ACTUALLY THE MOST IMPORTANT ONE AND, TO STRESS THIS, IT WAS SPECIALLY DESIGNED TO ESCHEW THE TYPICAL SPORTS CLUB AESTHETIC.

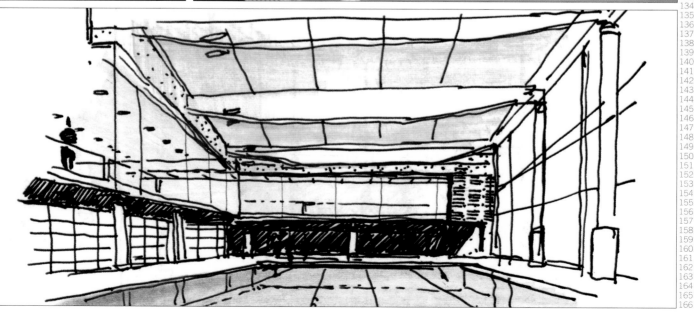

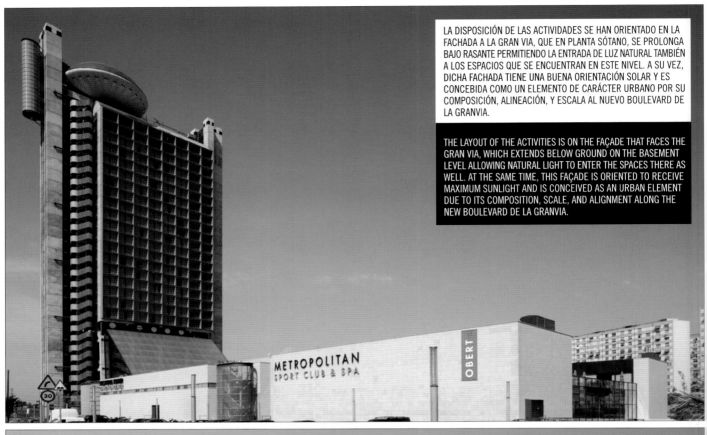

LA DISPOSICIÓN DE LAS ACTIVIDADES SE HAN ORIENTADO EN LA FACHADA A LA GRAN VIA, QUE EN PLANTA SÓTANO, SE PROLONGA BAJO RASANTE PERMITIENDO LA ENTRADA DE LUZ NATURAL TAMBIÉN A LOS ESPACIOS QUE SE ENCUENTRAN EN ESTE NIVEL. A SU VEZ, DICHA FACHADA TIENE UNA BUENA ORIENTACIÓN SOLAR Y ES CONCEBIDA COMO UN ELEMENTO DE CARÁCTER URBANO POR SU COMPOSICIÓN, ALINEACIÓN, Y ESCALA AL NUEVO BOULEVARD DE LA GRANVIA.

THE LAYOUT OF THE ACTIVITIES IS ON THE FAÇADE THAT FACES THE GRAN VIA, WHICH EXTENDS BELOW GROUND ON THE BASEMENT LEVEL ALLOWING NATURAL LIGHT TO ENTER THE SPACES THERE AS WELL. AT THE SAME TIME, THIS FAÇADE IS ORIENTED TO RECEIVE MAXIMUM SUNLIGHT AND IS CONCEIVED AS AN URBAN ELEMENT DUE TO ITS COMPOSITION, SCALE, AND ALIGNMENT ALONG THE NEW BOULEVARD DE LA GRANVIA.

084
085
086
087
088
089
090
091
092
093
094
095
096
097
098
099
100
101
102
103
104
105
106
107
108
109
110
111
112
113
114
115
116
117
118
119
120
121
122
123
124
125
126
127
128
129
130
131
132
133
134
135
136
137
138
139
140
141
142
143
144
145
146
147
148
149
150
151
152
153
154
155
156
157
158
159
160
161
162
163
164
165
166

CONCEBIR ATMÓSFERAS DIFERENTES ES UNO DE LOS OBJETIVOS DEL DISEÑO DE INTERIORES, UN ÁMBITO DONDE PRACTICAR EL WELLNESS. LA ZONA DE AGUAS ES UNO DE LOS ESPACIOS MÁS IMPORTANTES DEL CENTRO QUE SE PLANTEA COMO UN SPA, CON TODOS LOS EQUIPAMIENTOS NECESARIOS PARA SENTIRSE EN UN VERDADERO BALNEARIO, URBANO.

CONCEIVING DIFFERENT ATMOSPHERES IS ONE OF THE OBJECTIVES OF THE INTERIOR DESIGN, AN AREA TO PRACTICE WELLNESS. THE WATER ZONE IS ONE OF THE MOST IMPORTANT SPACES WITHIN THIS SPA CENTRE, AND IS EQUIPPED WITH EVERYTHING NECESSARY TO CREATE THE FEELING THAT ONE HAS TRULY BEEN TRANSPORTED TO A HEALTH RESORT, BUT WITHOUT EVER LEAVING THE CITY.

084
085
086
087
088
089
090
091
092
093
094
095
096
097
098
099
100
101
102
103
104
105
106
107
108
109
110
111
112
113
114
115
116
117
118
119
120
121
122
123
124
125
126
127
128
129
130
131
132
133
134
135
136
137
138
139
140
141
142
143
144
145
146
147
148
149
150
151
152
153
154
155
156
157
158
159
160
161
162
163
164
165
166

CLUB METROPOLITAN SAGRADA FAMILIA

BARCELONA

EN CONSTRUCCIÓN

UN COMPLEJO DE INTENSA PROMISCUIDAD FUNCIONAL UBICADO EN EL ENSANCHE DE BARCELONA, DONDE SE ENCONTRABA LA FÁBRICA DE PERFUMES MYRURGIA, DE LA CUAL SE CONSERVA PARTE DE LA FACHADA A LA VEZ QUE SE REHABILITA EL INTERIOR DE MANZANA CONVIRTIÉNDOLO EN UN NUEVO ESPACIO PÚBLICO PARA LA CIUDAD. EL PROGRAMA CONSTA DE UN CENTRO DEPORTIVO, RESIDENCIA DE DEPORTISTAS, VIVIENDAS, PARQUE, PISCINA EN EL INTERIOR DE MANZANA Y APARCAMIENTO.

A COMPLEX WITH INTENSE FUNCTIONAL PROMISCUITY LOCATED IN BARCELONA'S ENSANCHE, ON THE SITE OF THE MYRURGIA PERFUME FACTORY, FROM WHICH A PART OF THE FAÇADE HAS BEEN MAINTAINED. AT THE SAME TIME THE INTERIOR SPACE INSIDE THE BLOCK HAS BEEN RESTORED, TURNING IT INTO A NEW PUBLIC SPACE FOR THE CITY. THE PROGRAM CONSISTS OF A SPORT CENTRE, AN ATHLETES' RESIDENCE, HOUSING, A PARK, A SWIMING POOL WITHIN THE BLOCK CITY AND PARKING.

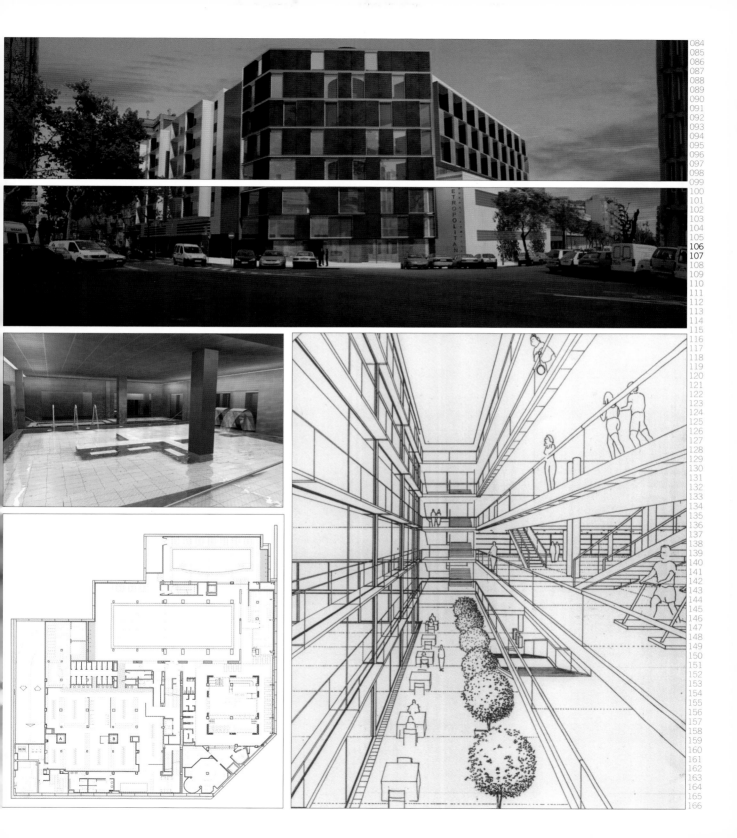

084
085
086
087
088
089
090
091
092
093
094
095
096
097
098
099
100
101
102
103
104
105
106
107
108
109
110
111
112
113
114
115
116
117
118
119
120
121
122
123
124
125
126
127
128
129
130
131
132
133
134
135
136
137
138
139
140
141
142
143
144
145
146
147
148
149
150
151
152
153
154
155
156
157
158
159
160
161
162
163
164
165
166

EUROPA INTERNATIONAL SCHOOL PABELLóN POLIDEPORTIVO Y PISCINAS

ST. CUGAT DEL VALLÈS

2005

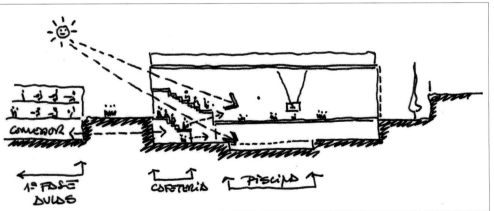

UN INNOVADOR EQUIPAMIENTO DONDE ALUMNOS Y FAMILIARES PUEDEN COMPARTIR ACTIVIDADES, AL INCORPORAR VISUALES DESDE LA GRADA DE ESPECTADORES Y DE LA ZONA DEL BAR HACIA LA PISTA POLIDEPORTIVA Y LA PISCINA.

AN INNOVATIVE FACILITY WHERE STUDENTS AND THEIR FAMILIES CAN SHARE ACTIVITIES, AS THERE ARE SIGHTLINES FROM THE SPECTATORS' GRANDSTAND AND THE SNACKBAR AREA ALL THE WAY TO THE MULTISPORT COURT AND POOL.

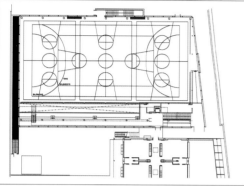

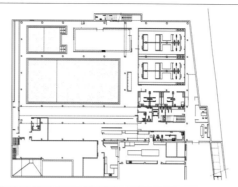

084
085
086
087
088
089
090
091
092
093
094
095
096
097
098
099
100
101
102
103
104
105
106
107
108
109
110
111
112
113
114
115
116
117
118
119
120
121
122
123
124
125
126
127
128
129
130
131
132
133
134
135
136
137
138
139
140
141
142
143
144
145
146
147
148
149
150
151
152
153
154
155
156
157
158
159
160
161
162
163
164
165
166

LA APLICACIÓN DEL DISEÑO GRÁFICO EN LA ARQUITECTURA INTERIOR CONSIGUE UNA INVASIÓN DE COLOR PARA ESPACIOS INFANTILES DESENFADADOS, A LA VEZ QUE UTILIZA LA TÉCNICA DEL GRAFFITI COMO PEDAGOGÍA DIDÁCTICA.

THE USE OF GRAPHIC DESIGN IN THE INTERIOR ARCHITECTURE ACHIEVES A BURST OF COLOUR CREATING CHEERY SPACES FOR CHILDREN, WHILE USING GRAFFITI TECHNIQUES AS A TEACHING TOOL.

084
085
086
087
088
089
090
091
092
093
094
095
096
097
098
099
100
101
102
103
104
105
106
107
108
109
110
111
112
113
114
115
116
117
118
119
120
121
122
123
124
125
126
127
128
129
130
131
132
133
134
135
136
137
138
139
140
141
142
143
144
145
146
147
148
149
150
151
152
153
154
155
156
157
158
159
160
161
162
163
164
165
166

DUET SPORTS TIANA
TIANA. BARCELONA 2004

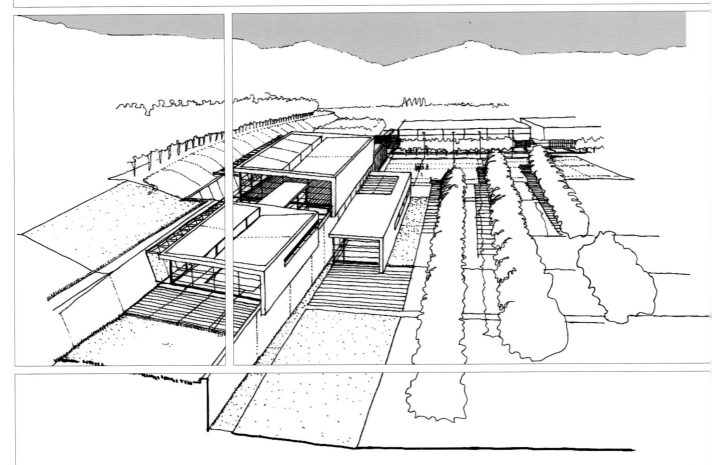

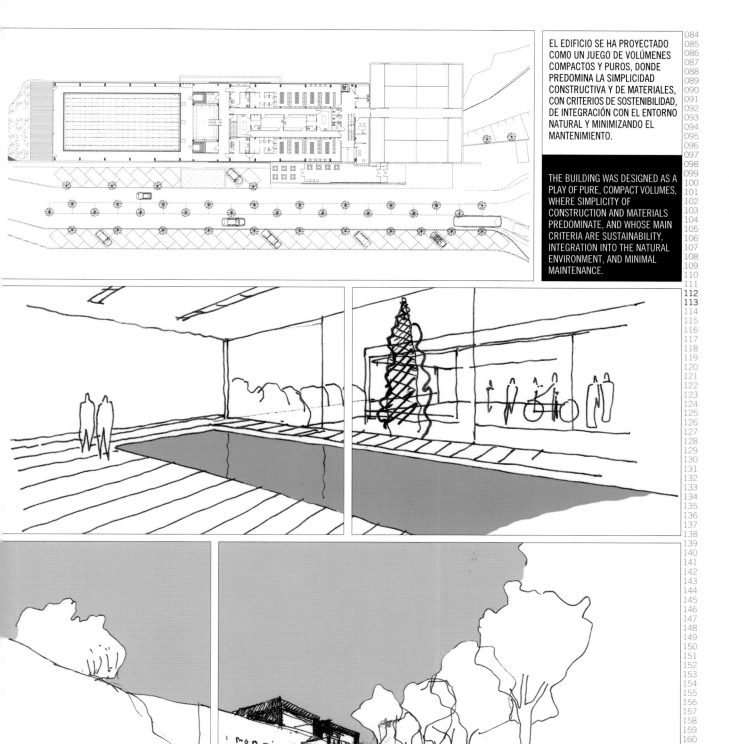

EL EDIFICIO SE HA PROYECTADO COMO UN JUEGO DE VOLÚMENES COMPACTOS Y PUROS, DONDE PREDOMINA LA SIMPLICIDAD CONSTRUCTIVA Y DE MATERIALES, CON CRITERIOS DE SOSTENIBILIDAD, DE INTEGRACIÓN CON EL ENTORNO NATURAL Y MINIMIZANDO EL MANTENIMIENTO.

THE BUILDING WAS DESIGNED AS A PLAY OF PURE, COMPACT VOLUMES, WHERE SIMPLICITY OF CONSTRUCTION AND MATERIALS PREDOMINATE, AND WHOSE MAIN CRITERIA ARE SUSTAINABILITY, INTEGRATION INTO THE NATURAL ENVIRONMENT, AND MINIMAL MAINTENANCE.

084
085
086
087
088
089
090
091
092
093
094
095
096
097
098
099
100
101
102
103
104
105
106
107
108
109
110
111
112
113
114
115
116
117
118
119
120
121
122
123
124
125
126
127
128
129
130
131
132
133
134
135
136
137
138
139
140
141
142
143
144
145
146
147
148
149
150
151
152
153
154
155
156
157
158
159
160
161
162
163
164
165
166

EL CLUB ES UN CONJUNTO DE ESPACIOS PARA SER DISFRUTADOS Y TENER LA OPORTUNIDAD DE PRACTICAR DEPORTE CONTEMPLANDO LA NATURALEZA. EL DISEÑO DE LOS ESPACIOS INTERIORES BUSCA LA PROLONGACIÓN VISUAL HACIA EL EXTERIOR A TRAVÉS DE LAS SEMITRANSPARENCIAS DE LOS CERRAMIENTOS.

THE CLUB IS A COLLECTION OF SPACES IN WHICH TO ENJOY PRACTICING SPORT WHILE VIEWING NATURE. THE DESIGN OF THE INTERIOR SPACES STRIVES TO PROLONG THE LINES OF VISION TO THE OUTSIDE THROUGH THE SEMI-TRANSPARENCY OF THE ENCLOSURES.

084
085
086
087
088
089
090
091
092
093
094
095
096
097
098
099
100
101
102
103
104
105
106
107
108
109
110
111
112
113
114
115
116
117
118
119
120
121
122
123
124
125
126
127
128
129
130
131
132
133
134
135
136
137
138
139
140
141
142
143
144
145
146
147
148
149
150
151
152
153
154
155
156
157
158
159
160
161
162
163
164
165
166

LA SEÑALIZACIÓN DE LAS DIFERENTES ÁREAS Y ACTIVIDADES INVADE LAS PAREDES Y PASA A SER UN MATERIAL DE ARQUITECTURA, COMO LO ES EL DISEÑO INTERIOR DE LOS ESPACIOS, EL MOBILIARIO Y LA ILUMINACIÓN ESPECÍFICAMENTE DISEÑADOS PARA EL CLUB.

THE SIGNAGE INDICATING THE DIFFERENT AREAS AND ACTIVITIES OVERRUNS THE WALL AND BECOMES PART OF THE ARCHITECTURAL MATERIAL, AS ARE THE INTERIOR DESIGN OF THE SPACES, THE FURNISHINGS, AND THE LIGHTING SPECIFICALLY DESIGNED FOR THE CLUB.

DUET SPORTS CAN ZAM
STA. COLOMA DE GRAMENET. BCN

2004

DADA LA TRASCENDENCIA QUE DEBÍA TENER LA CONSTRUCCIÓN DE ESTE EQUIPAMIENTO EN LA ESTRUCTURA SOCIOCULTURAL DE LA CIUDAD, SE PROPUSO PROYECTAR UN EDIFICIO QUE TUVIERA VOCACIÓN DE HITO URBANO, Y LUGAR DE REFERENCIA EN EL ENTORNO SOCIAL. ARQUITECTÓNICAMENTE, EL EDIFICIO FORMALIZA LOS OBJETIVOS INICIALES MEDIANTE UNA SIMPLE Y CONTUNDENTE VOLUMETRÍA QUE SE EXTIENDE SOBRE EL SOLAR SIN OBSTACULIZAR LA VISIÓN EXTERIOR, FAVORECIENDO UNA RELACIÓN MUY ABIERTA CON EL ENTORNO INMEDIATO OPTANDO POR LA TRANSPARENCIA Y LA SIMPLICIDAD.

GIVEN THE IMPORTANCE THAT THE CONSTRUCTION OF THIS FACILITY WOULD HAVE ON THE SOCIOCULTURAL STRUCTURE OF THE CITY, IT WAS PROPOSED AS A BUILDING THAT WOULD BECOME AN URBAN LANDMARK AND A REFERENCE POINT WITHIN THE SOCIAL SPHERE. ARCHITECTURALLY, THE BUILDING GIVES FORM TO THE INITIAL OBJECTIVES THROUGH A SIMPLE AND EMPHATIC VOLUMETRY THAT EXTENDS OVER THE PLOT OF LAND WITHOUT OBSTRUCTING THE VIEW OF THE EXTERIOR, CULTIVATING A VERY OPEN RELATIONSHIP WITH THE IMMEDIATE ENVIRONMENT THROUGH TRANSPARENCY AND SIMPLICITY.

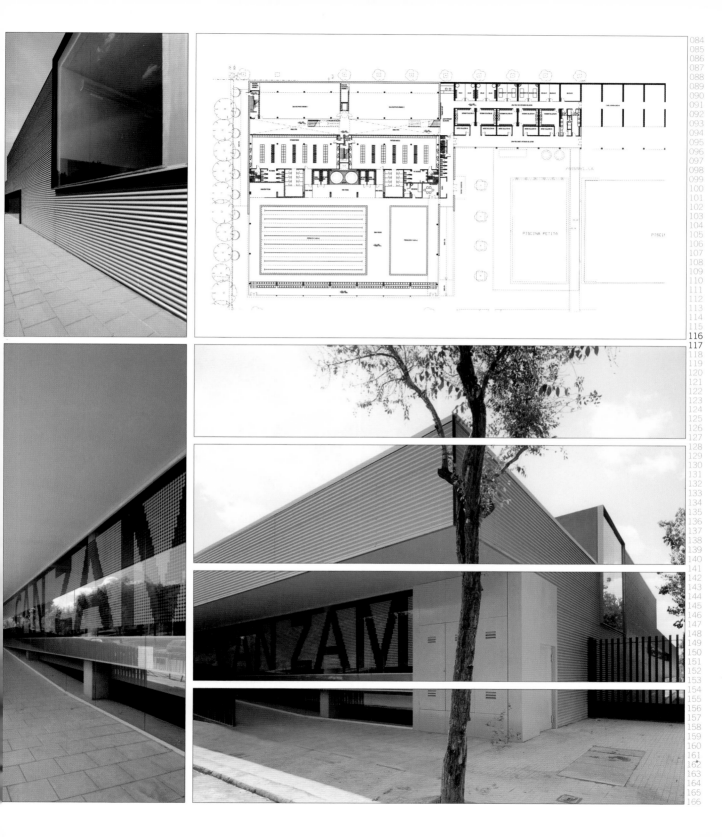

084
085
086
087
088
089
090
091
092
093
094
095
096
097
098
099
100
101
102
103
104
105
106
107
108
109
110
111
112
113
114
115
116
117
118
119
120
121
122
123
124
125
126
127
128
129
130
131
132
133
134
135
136
137
138
139
140
141
142
143
144
145
146
147
148
149
150
151
152
153
154
155
156
157
158
159
160
161
162
163
164
165
166

EN EL INTERIOR, UN MUNDO DE COLORES ACOMPAÑA AL USUARIO, DESDE LOS VESTUARIOS HASTA LOS CERRAMIENTOS INTERIORES A BASE DE CRISTAL RECORTADO POR MOTIVOS GRÁFICOS CON VINILOS Y TABLEROS DE ALTA DENSIDAD.

INSIDE, A WORLD OF COLOURS GREETS THE USER, FROM THE CHANGING ROOMS TO THE INTERIOR ENCLOSURES MADE OF GLASS THAT IS DECORATED WITH VINYL GRAPHIC MOTIFS AND HAS HIGH-DENSITY BACKING.

084
085
086
087
088
089
090
091
092
093
094
095
096
097
098
099
100
101
102
103
104
105
106
107
108
109
110
111
112
113
114
115
116
117
118
119
120
121
122
123
124
125
126
127
128
129
130
131
132
133
134
135
136
137
138
139
140
141
142
143
144
145
146
147
148
149
150
151
152
153
154
155
156
157
158
159
160
161
162
163
164
165
166

DUET SPORTS FONDO
STA. COLOMA DE GRAMENET. BCN

2006

UNA HÁBIL PROPUESTA DE
REUTILIZACIÓN SOCIAL Y
ECONÓMICA DEL SUBSUELO DE
UNA NUEVA PLAZA PÚBLICA,
CREANDO UN EQUIPAMIENTO
DEPORTIVO Y UN APARCAMIENTO
EN PLENO NÚCLEO URBANO.

A SKILLFUL PROPOSAL FOR THE
ECONOMIC AND SOCIAL
RECYCLING OF THE SPACE
BELOW A NEW PUBLIC SQUARE,
CREATING A SPORT FACILITY AND
A PARKING LOT RIGHT IN THE
CITY CENTRE.

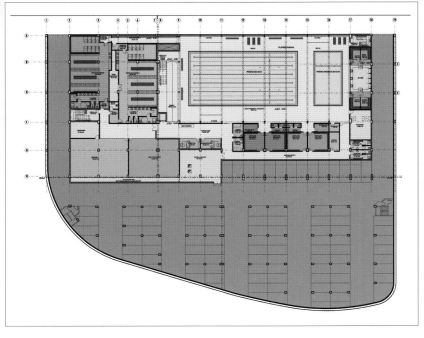

084
085
086
087
088
089
090
091
092
093
094
095
096
097
098
099
100
101
102
103
104
105
106
107
108
109
110
111
112
113
114
115
116
117
118
119
120
121
122
123
124
125
126
127
128
129
130
131
132
133
134
135
136
137
138
139
140
141
142
143
144
145
146
147
148
149
150
151
152
153
154
155
156
157
158
159
160
161
162
163
164
165
166

DUET SPORTS PORTITXOL
PALMA DE MALLORCA
2006

084
085
086
087
088
089
090
091
092
093
094
095
096
097
098
099
100
101
102
103
104
105
106
107
108
109
110
111
112
113
114
115
116
117
118
119
120
121
122
123
124
125
126
127
128
129
130
131
132
133
134
135
136
137
138
139
140
141
142
143
144
145
146
147
148
149
150
151
152
153
154
155
156
157
158
159
160
161
162
163
164
165
166

LA CUBIERTA A BASE DE MADERA LAMINADA PERMITE TENER UN GRAN ESPACIO SIN COLUMNAS QUE INTERRUMPAN LA VISIÓN Y ENTORPEZCAN LOS RECORRIDOS, A LA VEZ SU VISIÓN DES DEL INTERIOR DEL EDIFICIO CREA UNA ATMÓSFERA RELAJANTE Y EVITA LA COLOCACIÓN DE FALSOS TECHOS.

THE ROOF MADE OF LAMINATED WOOD ALLOWS A LARGE SPACE FREE OF COLUMNS, GIVING AN UNINTERRUPTED VIEW AND UNRESTRICTED MOVEMENT THROUGH THE SPACE, WHILE THE VIEW FROM INSIDE THE BUILDING CREATES A RELAXING ATMOSPHERE AND AVOIDS THE USE OF FALSE CEILINGS.

DUET SPORTS RUBÍ
RUBÍ. BCN

SITUADO EN UNA ZONA PRIVILEGIADA, SE SUMERGE EN LA ALAMEDA DEL PARQUE, LINDANDO ENTRE LA CIUDAD Y LAS VÍAS DEL FERROCARRIL, DONDE SE SITÚAN LAS TRES CAJAS DE CRISTAL QUE FORMAN EL EDIFICIO FAVORECIENDO LA CONTINUIDAD DEL PARQUE Y SU PROYECCIÓN HACIA EL HORIZONTE.

LOCATED IN AN EXCEPTIONAL AREA, IMMERSED IN A PARK GROVE, RUNNING ALONGSIDE THE CITY AND THE RAILROAD TRACKS, ARE THE THREE GLASS BOXES THAT COMPRISE THE BUILDING ALLOWING FOR THE CONTINUITY OF THE PARK AND ITS PROJECTION TOWARDS THE HORIZON.

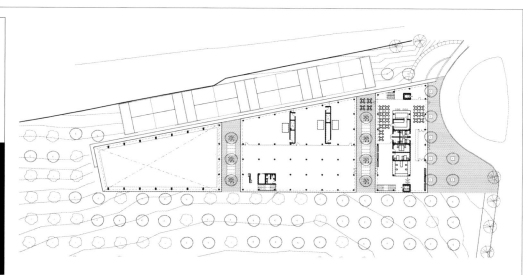

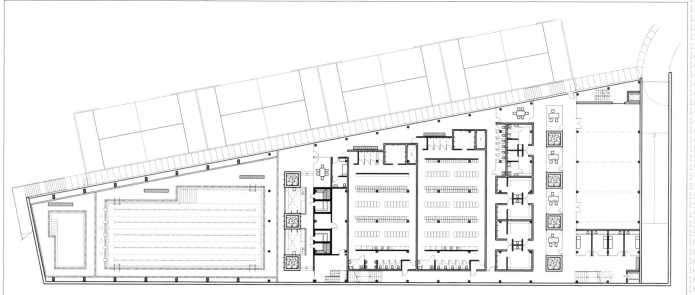

084
085
086
087
088
089
090
091
092
093
094
095
096
097
098
099
100
101
102
103
104
105
106
107
108
109
110
111
112
113
114
115
116
117
118
119
120
121
122
123
124
125
126
127
128
129
130
131
132
133
134
135
136
137
138
139
140
141
142
143
144
145
146
147
148
149
150
151
152
153
154
155
156
157
158
159
160
161
162
163
164
165
166

DUET SPORTS GANDIA
VALENCIA

EL EDIFICIO SE PLANTEA COMO UNA LARGA FACHADA CONTINUA Y NEUTRA QUE SE VA PLEGANDO PARA ALBERGAR EL PROGRAMA, POTENCIANDO LA IMAGEN PÚBLICA DE ESTE TIPO DE EQUIPAMIENTOS, OBTENIENDO LA MEDIDA Y LA ESCALA ADECUADAS PARA QUE SEAN RECONOCIBLES COMO TALES.

THE BUILDING IS DESIGNED AS A LONG CONTINUOUS, NEUTRAL FAÇADE THAT GIVES WAY IN ORDER TO HOUSE THE PROGRAM, MAKING THE MOST OF THE PUBLIC IMAGE OF THIS TYPE OF FACILITY, OBTAINING THE ADEQUATE SIZE AND SCALE TO BE RECOGNISED AS SUCH.

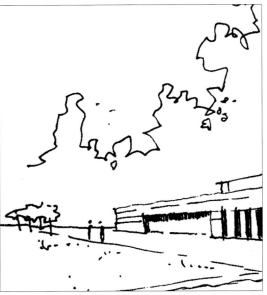

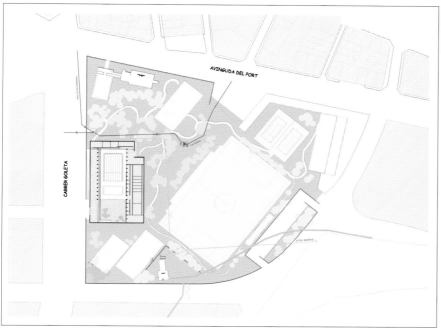

084
085
086
087
088
089
090
091
092
093
094
095
096
097
098
099
100
101
102
103
104
105
106
107
108
109
110
111
112
113
114
115
116
117
118
119
120
121
122
123
124
125
126
127
128
129
130
131
132
133
134
135
136
137
138
139
140
141
142
143
144
145
146
147
148
149
150
151
152
153
154
155
156
157
158
159
160
161
162
163
164
165
166

LA CUBIERTA TELESCÓPICA DE LA PISCINA SERÁ DE POLI-CARBONATO RESISTENTE A LA RADIACIÓN SOLAR, MONTADA SOBRE ESTRUCTURA DE ACERO CON TRATAMIENTO ANTICORROSIVO. EN LA ZONA DE AGUAS Y VESTUARIOS LOS LUCERNARIOS PERMITIRÁN LA ILUMINACIÓN Y VENTILACIÓN NATURAL, Y EN LAS CUBIERTAS SE CONCENTRARAN LOS COLECTORES QUE APORTARAN ENERGÍA SOLAR TÉRMICA. LA CUBIERTA LIGERA DE LAS SALAS DE ACTIVIDADES PERMITIRÁ LIBERARLAS DE PILARES, CREANDO UN ESPACIO DIÁFANO Y ÓPTIMO PARA EL USO QUE SE LE REQUIERE.

THE POOL AREA'S TELESCOPIC ROOF WILL BE OF POLY-CARBONATE RESISTANT TO SOLAR RADIATION, MOUNTED ON A STRUCTURE MADE OF STEEL TREATED WITH ANTI-CORROSIVES. THE SKYLIGHTS IN THE WATER ZONE AND CHANGING ROOMS WILL LET IN NATURAL ILLUMINATION AND VENTILATION, AND ON THE ROOFS THERE WILL BE COLLECTOR MANIFOLDS THAT SUPPLY THERMAL SOLAR ENERGY. THE LIGHT COVERING ON THE ACTIVITY ROOMS WILL ALLOW THEM TO BE PILLAR-FREE, CREATING AN OPEN SPACE THAT IS OPTIMAL FOR THE USE REQUIRED OF IT.

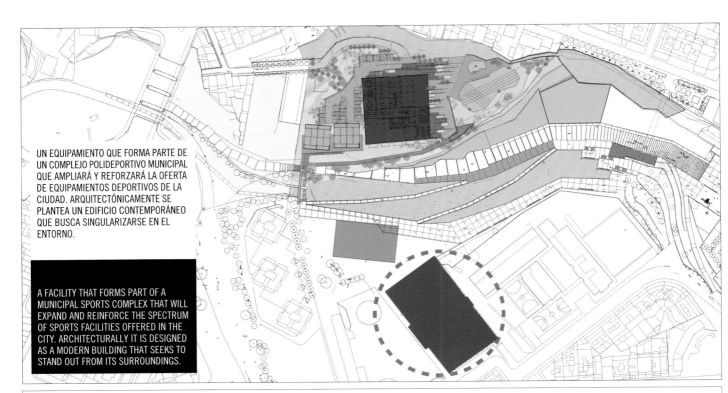

UN EQUIPAMIENTO QUE FORMA PARTE DE UN COMPLEJO POLIDEPORTIVO MUNICIPAL QUE AMPLIARÁ Y REFORZARÁ LA OFERTA DE EQUIPAMIENTOS DEPORTIVOS DE LA CIUDAD. ARQUITECTÓNICAMENTE SE PLANTEA UN EDIFICIO CONTEMPORÁNEO QUE BUSCA SINGULARIZARSE EN EL ENTORNO.

A FACILITY THAT FORMS PART OF A MUNICIPAL SPORTS COMPLEX THAT WILL EXPAND AND REINFORCE THE SPECTRUM OF SPORTS FACILITIES OFFERED IN THE CITY. ARCHITECTURALLY IT IS DESIGNED AS A MODERN BUILDING THAT SEEKS TO STAND OUT FROM ITS SURROUNDINGS.

DUET SPORTS LA PLANA
ESPLUGUES. BCN EN CONSTRUCCIÓN

084
085
086
087
088
089
090
091
092
093
094
095
096
097
098
099
100
101
102
103
104
105
106
107
108
109
110
111
112
113
114
115
116
117
118
119
120
121
122
123
124
125
126
127
128
129
130
131
132
133
134
135
136
137
138
139
140
141
142
143
144
145
146
147
148
149
150
151
152
153
154
155
156
157
158
159
160
161
162
163
164
165
166

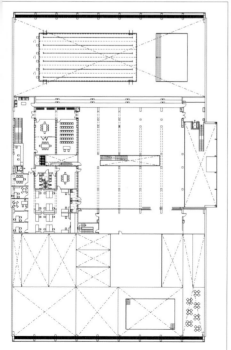

DUET SPORTS PAU GASOL
SANT BOI DE LLOBREGAT
BARCELONA

2006

084
085
086
087
088
089
090
091
092
093
094
095
096
097
098
099
100
101
102
103
104
105
106
107
108
109
110
111
112
113
114
115
116
117
118
119
120
121
122
123
124
125
126
127
128
129
130
131
132
133
134
135
136
137
138
139
140
141
142
143
144
145
146
147
148
149
150
151
152
153
154
155
156
157
158
159
160
161
162
163
164
165
166

UN CLUB DONDE LA PISTA
POLIDEPORTIVA SE COMPLEMENTA CON
UN SPA URBANO DONDE TIENEN
CABIDA LOS JACUZZIS DE DIFERENTES
TEMPERATURAS, DE FLORES, DE
CASCADAS, DE CHORROS A PRESIÓN,
DE CAMAS DE AGUA, ETC.

A CLUB WHERE THE ATHLETIC COURTS
AND TRACKS ARE COMPLEMENTED BY
AN URBAN SPA THAT HOUSES JACUZZIS
OF DIFFERENT TEMPERATURES, WITH
FLOWERS, CASCADES, PRESSURISED
JETS, WATER BEDS, ETC.

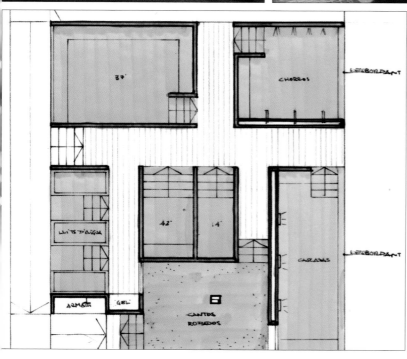

VESTUARIOS
F.C. BARCELONA
BARCELONA

2006

O DE CÓMO GENERAR UN ESPACIO DÓNDE POTENCIAR LA EXPRESIVIDAD ARTÍSTICO-DEPORTIVA DE UNA PLANTILLA DE JUGADORES EXCEPCIONALES. EL **"MES QUE UN CLUB"** TAMBIÉN COMO LEMA PARA LA ARQUITECTURA.

OR HOW TO CONSTRUCT A SPACE IN WHICH TO FOSTER THE CREATIVE SPORTING EXPRESSIVENESS OF A TEAM OF EXCEPTIONAL PLAYERS. THEIR MOTTO **"MORE THAN A CLUB"** IS ALSO APPLIED TO THE ARCHITECTURE.

084
085
086
087
088
089
090
091
092
093
094
095
096
097
098
099
100
101
102
103
104
105
106
107
108
109
110
111
112
113
114
115
116
117
118
119
120
121
122
123
124
125
126
127
128
129
130
131
132
133
134
135
136
137
138
139
140
141
142
143
144
145
146
147
148
149
150
151
152
153
154
155
156
157
158
159
160
161
162
163
164
165
166

CLUB DEPORTIVO
EN POLIGONO CANYELLES
BARCELONA

084
085
086
087
088
089
090
091
092
093
094
095
096
097
098
099
100
101
102
103
104
105
106
107
108
109
110
111
112
113
114
115
116
117
118
119
120
121
122
123
124
125
126
127
128
129
130
131
132
133
134
135
136
137
138
139
140
141
142
143
144
145
146
147
148
149
150
151
152
153
154
155
156
157
158
159
160
161
162
163
164
165
166

UN EQUIPAMIENTO QUE COMBINA ESPACIOS INDOOR Y OUTDOOR, CON DIFERENTES TRATAMIENTOS DE VOLÚMENES Y CUBIERTAS. EXPERIMENTA CON LA CUBIERTA AJARDINADA Y LAS PÉRGOLAS COMO RECURSOS DE UNA ARQUITECTURA QUE UTILIZA CONCEPTOS BIOCLIMÁTICOS.

A FACILITY THAT COMBINES INDOOR AND OUTDOOR SPACES, PLAYING WITH DIFFERENT SHAPES AND ROOFING TREATMENTS. IT EXPERIMENTS WITH A LANDSCAPED ROOF AND PERGOLAS AS ELEMENTS OF AN ARCHITECTURE THAT USES BIOCLIMATIC CONCEPTS.

CLUB DEPORTIVO CALAFELL
TARRAGONA

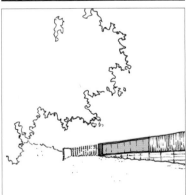

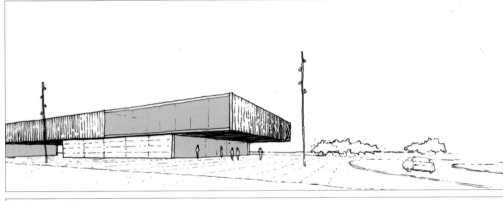

DADA LA IMPLANTACIÓN EN UN ENTORNO DE ESPECIAL TRASCENDENCIA EN EL TERRENO DE LA ECOLOGÍA Y EL PAISAJE, HA CONDUCIDO A UNA PROPUESTA DE EDIFICIO QUE DIALOGUE CON SU ENTORNO.

DUE TO THE BUILDING'S INTRODUCTION INTO A SETTING OF SPECIAL IMPORTANCE IN THE FIELDS OF ECOLOGY AND LANDSCAPE, A PLAN WAS DEVISED TO CREATE A BUILDING THAT IS IN DIALOGUE WITH ITS SURROUNDINGS.

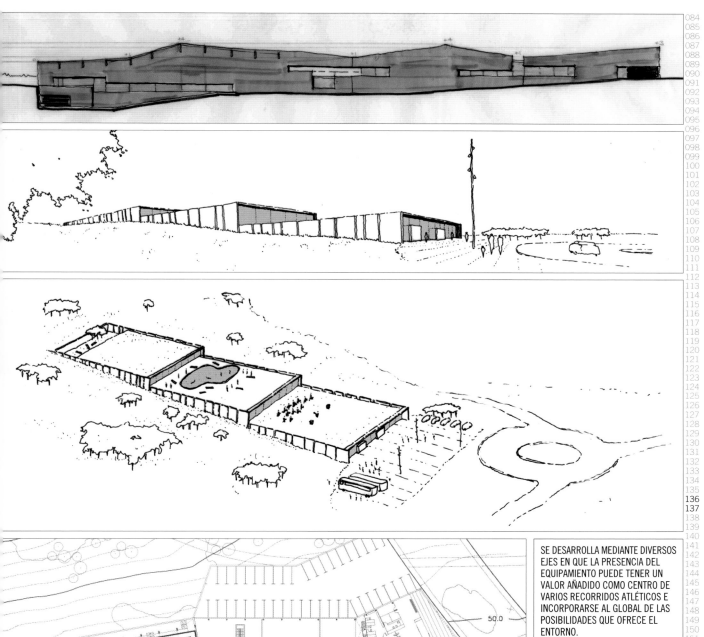

084
085
086
087
088
089
090
091
092
093
094
095
096
097
098
099
100
101
102
103
104
105
106
107
108
109
110
111
112
113
114
115
116
117
118
119
120
121
122
123
124
125
126
127
128
129
130
131
132
133
134
135
136
137
138
139
140
141
142
143
144
145
146
147
148
149
150
151
152
153
154
155
156
157
158
159
160
161
162
163
164
165
166

SE DESARROLLA MEDIANTE DIVERSOS EJES EN QUE LA PRESENCIA DEL EQUIPAMIENTO PUEDE TENER UN VALOR AÑADIDO COMO CENTRO DE VARIOS RECORRIDOS ATLÉTICOS E INCORPORARSE AL GLOBAL DE LAS POSIBILIDADES QUE OFRECE EL ENTORNO.

IT DEVELOPS THROUGH SEVERAL AXES IN WHICH THE FACILITY'S PRESENCE CAN HAVE AN ADDED VALUE AS A CENTRE WITH VARIOUS ATHLETIC ROUTES AND INCORPORATE ITSELF INTO THE OVERALL SPECTRUM OF POSSIBILITIES OFFERED BY THE SETTING.

BAÑOS ARABES
BARCELONA

EN CONSTRUCCIÓN

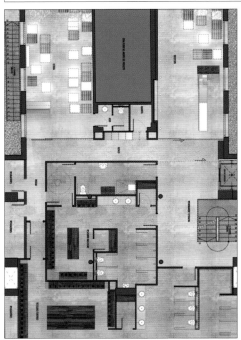

084
085
086
087
088
089
090
091
092
093
094
095
096
097
098
099
100
101
102
103
104
105
106
107
108
109
110
111
112
113
114
115
116
117
118
119
120
121
122
123
124
125
126
127
128
129
130
131
132
133
134
135
136
137
138
139
140
141
142
143
144
145
146
147
148
149
150
151
152
153
154
155
156
157
158
159
160
161
162
163
164
165
166

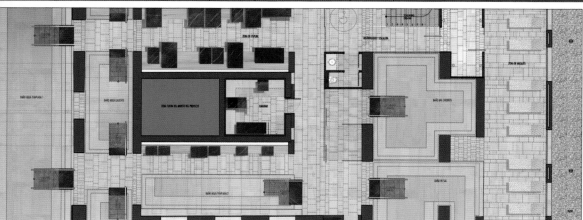

UNA RELECTURA DEL CONCEPTO DEL PATIO ANDALUZ, CON RECORRIDOS DE LUCES Y SOMBRAS.

A REREADING OF THE CONCEPT OF THE ANDALUSIAN INTERIOR COURTYARD, WITH AN ITINERARY MARKED BY LIGHTS AND SHADOWS.

NASTIC TARRAGONA
TARRAGONA

2007

UN EJERCICIÓ DE INTEGRACIÓN PAISAJISTICA, DONDE LAS GRANDES AREAS VERDES SE DESPARRAMAN HASTÁ EL PROPIO ESTADIO.

AN EXERCISE IN LANDSCAPE INTEGRATION, WHERE THE LARGE GREEN AREAS SPILL INTO THE STADIUM ITSELF.

084
085
086
087
088
089
090
091
092
093
094
095
096
097
098
099
100
101
102
103
104
105
106
107
108
109
110
111
112
113
114
115
116
117
118
119
120
121
122
123
124
125
126
127
128
129
130
131
132
133
134
135
136
137
138
139
140
141
142
143
144
145
146
147
148
149
150
151
152
153
154
155
156
157
158
159
160
161
162
163
164
165
166

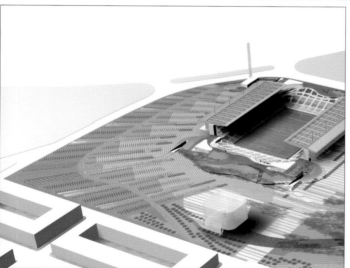

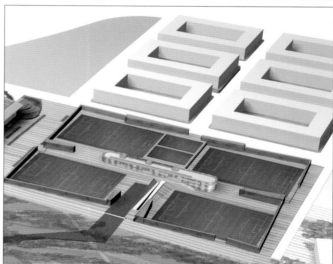

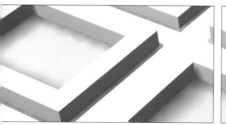

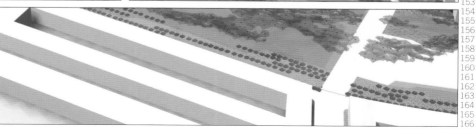

DUET SPORTS LAS ARENAS
BARCELONA

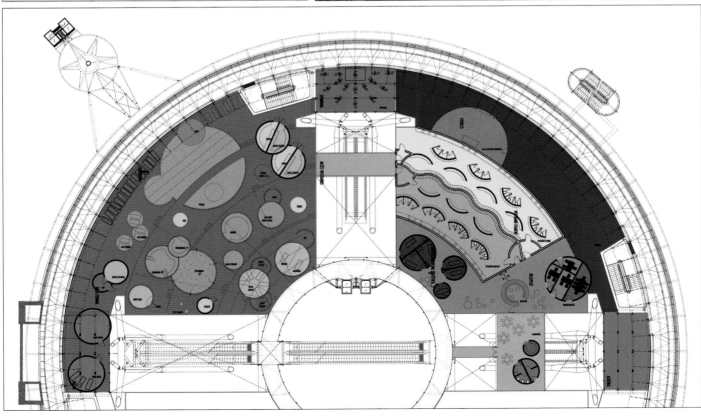

084
085
086
087
088
089
090
091
092
093
094
095
096
097
098
099
100
101
102
103
104
105
106
107
108
109
110
111
112
113
114
115
116
117
118
119
120
121
122
123
124
125
126
127
128
129
130
131
132
133
134
135
136
137
138
139
140
141
142
143
144
145
146
147
148
149
150
151
152
153
154
155
156
157
158
159
160
161
162
163
164
165
166

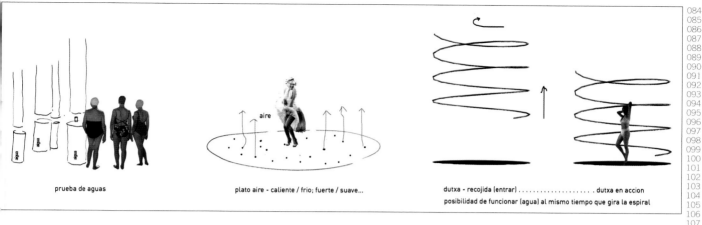

prueba de aguas

aire

plato aire - caliente / frio; fuerte / suave...

dutxa - recojida (entrar) . . . . dutxa en accion
posibilidad de funcionar (agua) al mismo tiempo que gira la espiral

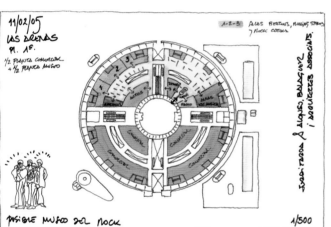

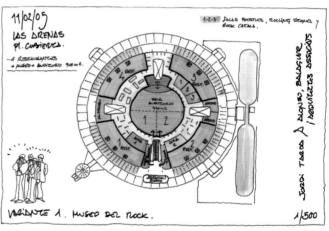

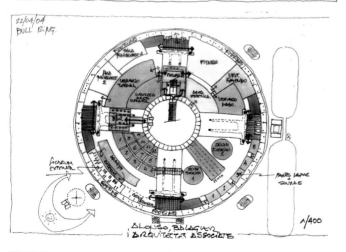

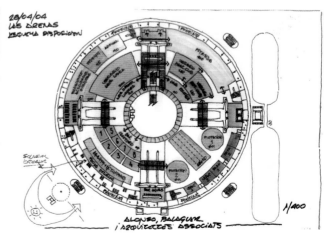

UN ROMPEDOR CONCEPTO DE BALNEARIO URBANO, EN UN EDIFICIO QUE COMBINA LA ALTA TECNOLOGÍA PUNTERA CON EL RESPETO AL PASADO HISTÓRICO. UNA IMPORTANTE INNOVACIÓN EN MÚLTIPLES CONCEPTOS DE AGUA Y SUS ESPACIOS.

A GROUNDBREAKING CONCEPT OF URBAN SPA, IN A BUILDING THAT COMBINES LEADING HIGH TECHNOLOGY WITH A RESPECT FOR ITS OWN HISTORIC PAST. AN IMPORTANT INNOVATION IN NUMEROUS AQUATIC CONCEPTS AND SPACES.

DUET SPORTS PARLA
MADRID

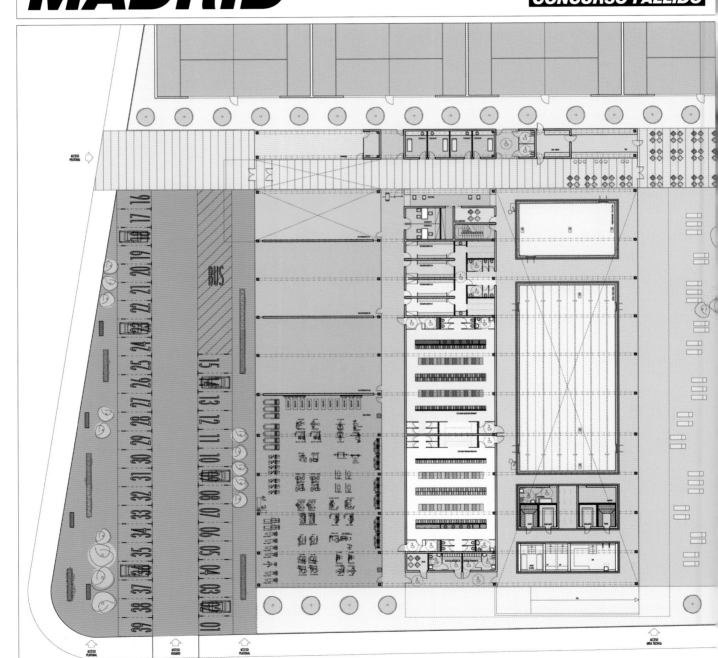

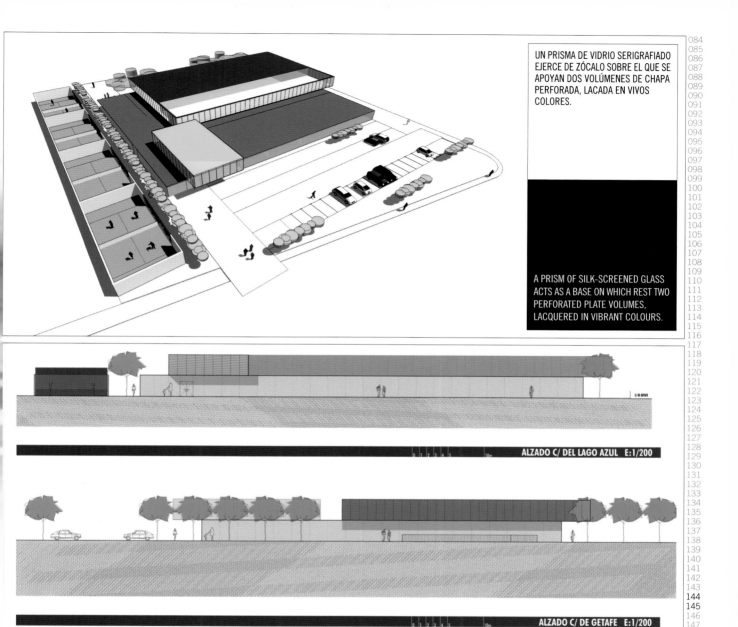

UN PRISMA DE VIDRIO SERIGRAFIADO EJERCE DE ZÓCALO SOBRE EL QUE SE APOYAN DOS VOLÚMENES DE CHAPA PERFORADA, LACADA EN VIVOS COLORES.

A PRISM OF SILK-SCREENED GLASS ACTS AS A BASE ON WHICH REST TWO PERFORATED PLATE VOLUMES, LACQUERED IN VIBRANT COLOURS.

084
085
086
087
088
089
090
091
092
093
094
095
096
097
098
099
100
101
102
103
104
105
106
107
108
109
110
111
112
113
114
115
116
117
118
119
120
121
122
123
124
125
126
127
128
129
130
131
132
133
134
135
136
137
138
139
140
141
142
143
144
145
146
147
148
149
150
151
152
153
154
155
156
157
158
159
160
161
162
163
164
165
166

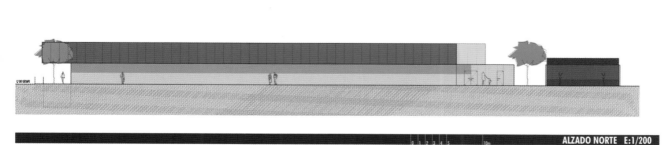

ALZADO C/ DEL LAGO AZUL E:1/200

ALZADO C/ DE GETAFE E:1/200

ALZADO NORTE E:1/200

DUET SPORTS MOSTOLES
MADRID

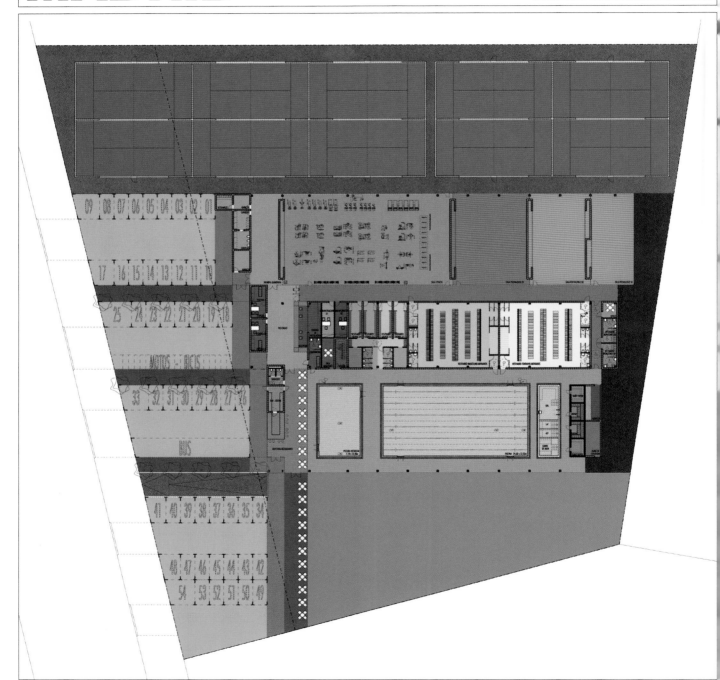

LA MEZCLA DE TRES VOLÚMENES POLIÉDRICOS CONFORMA LA BASE DEL COMPLEJO DEPORTIVO. UN CONJUNTO EN FORMA DE PUZZLE PARA COMPONER UN PROGRAMA TRIPLE: CLUB DEPORTIVO CON ZONA DE AGUAS, GUARDERÍA Y BAR-RESTAURANTE. UNA GEOMETRÍA FRAGMENTADA QUE GENERA BRECHAS DE LUZ ZENITAL EN CADA UNA DE LAS PIEZAS QUE LA CONFORMAN. EL DIÁLOGO ENTRE FORMA Y COLOR GENERA LA APARICIÓN DE UN PRISMA VERTICAL QUE BUSCA CONVERTIR EL CENTRO EN UN PUNTO, EN UN ENTORNO EN CONSOLIDACIÓN.

084
085
086
087
088
089
090
091
092
093
094
095
096
097
098
099
100
101
102
103
104
105
106
107
108
109
110
111
112
113
114
115
116
117
118
119
120
121
122
123
124
125
126
127
128
129
130
131
132
133
134
135
136
137
138
139
140
141
142
143
144
145
146
147
148
149
150
151
152
153
154
155
156
157
158
159
160
161
162
163
164
165
166

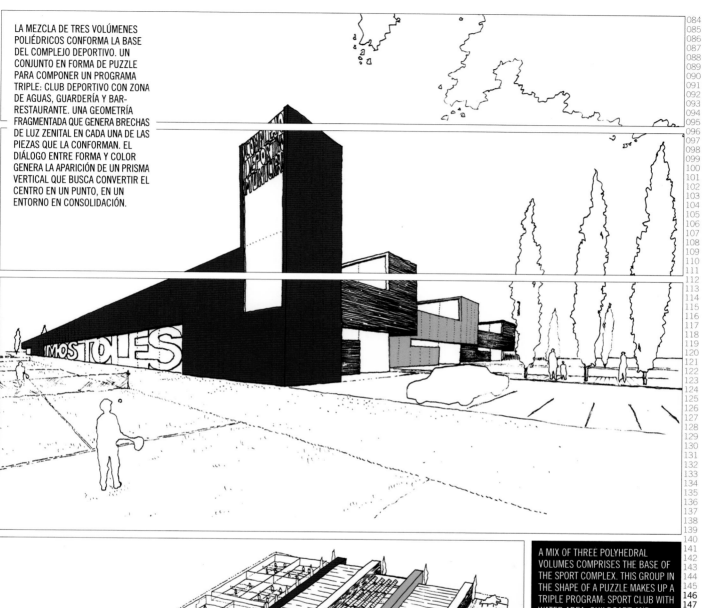

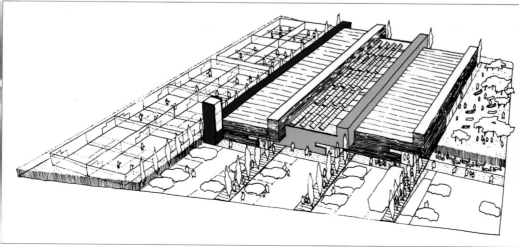

A MIX OF THREE POLYHEDRAL VOLUMES COMPRISES THE BASE OF THE SPORT COMPLEX. THIS GROUP IN THE SHAPE OF A PUZZLE MAKES UP A TRIPLE PROGRAM: SPORT CLUB WITH WATER AREA, CHILDCARE AND CAFÉ/RESTAURANT. A FRAGMENTED GEOMETRY THAT CREATES GAPS ALLOWING LIGHT FROM ABOVE TO ENTER EACH ONE OF THE PIECES THAT COMPOSE IT. THE DIALOGUE BETWEEN SHAPE AND COLOUR CREATES THE APPEARANCE OF A VERTICAL PRISM THAT STRIVES TO TURN THE CENTRE INTO A POINT, CREATING A CONSOLIDATED ENVIRONMENT.

CONCEPTOS DIFERENCIALES O EL VALOR AÑADIDO DE LA ARQUITECTURA

THE DISTINCTIVE ASPECTS OF THE CLUBS, OR THE ADDED VALUE OF ARCHITECTURE

Nuestros centros están pasando a convertirse en auténticos puntos neurálgicos de equipamientos comunitarios, que transforman y potencian la vida ciudadana, de allí donde se ubican. Auténticos motores de vida y regeneración urbana para todas las edades y condiciones. Sin distinción, sin clases, sin paliativos. Múltiples conceptos y recursos, se superponen para tal logro: la intensa promiscuidad de actividades, la calidad de los espacios generados, la imaginación para inusuales o impensables ubicaciones, las texturas y acabados, el diseño gráfico como gratificador visual, los estudiados materiales de sereno envejecimiento, y tantas y tantas consideraciones, que expondremos seguidamente: Entendido y aceptado que la Arquitectura condiciona nuestras vidas y comportamientos, veremos seguidamente como el deporte, la salud, la vida social, la estética, el ocio, conviven y devienen en un nuevo concepto de equipamiento integral urbano.

Our centres are turning into real neuralgic points of community equipment, which transform and promote civil life. Authentic engines of life and urban regeneration for all the ages and conditions, without distinction or palliatives.
Multiple concepts and resources are superposed for such an achievement: the intense promiscuity of activities, the quality of the generated spaces, the imagination for unusual or unthinkable locations, the textures and results, the graphical design as a visual gratifier, the studied materials of serene aging, and so many people and so many considerations, which we will expose immediately afterwards:
As we know and accept that Architecture determines our lives and behaviours, we will see how sports, health, social life, aesthetics and leisure coexist and develop into a new concept of integral urban equipment.

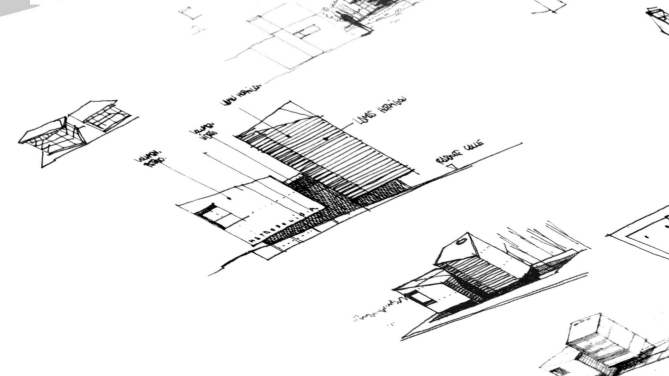

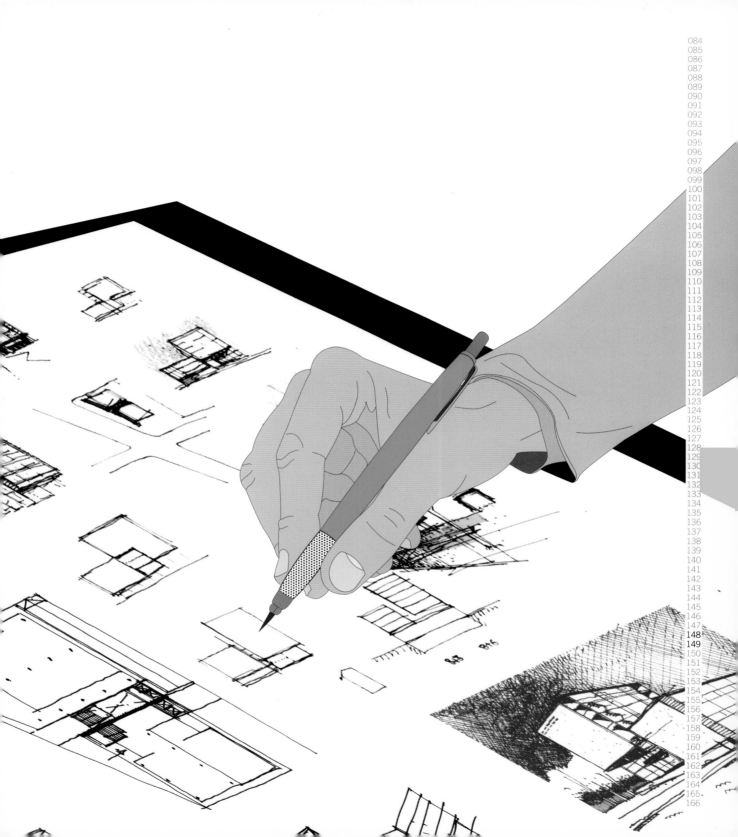

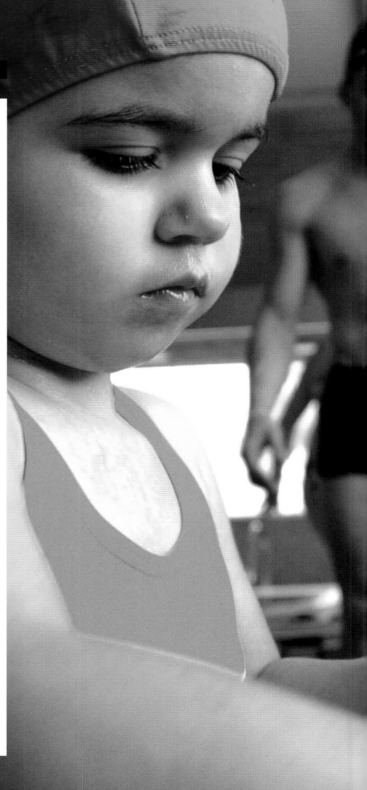

Cuando mi hija Laia, de 8 años, cumplió su 7º día de vida, ocurrieron dos importantes hechos; el primero la caída de su "pinza" del cordón umbilical, y el segundo su primer "chapuzón" en una piscina, conmigo como compañía y con Denise expectante. Para efectuar el segundo teníamos que esperar a que el primero se hubiera producido. Creo que es uno de los momentos en que hubiera precisado de un gran y auténtico "babero Cervantino" para poder mitigar mis secreciones gustativas. Uno de aquellos instantes que quedan profundamente grabados en tu disco duro mental de por vida, por lo gratificante y agradable de su acontecer. Mi hija flotando plácidamente en el agua de la piscina, agua debidamente tratada con el correspondiente ozono para evitar olores y agresiones a la piel y ojos. Ese acto reflejo de la flotación del bebé, como natural prolongación de su estado durante el embarazo materno, en el líquido amniótico. Un reflejo que no se mantiene más allá del 2º mes del recién nacido, pero que durante esas primeras semanas de vida externa, se produce de forma espontánea.

La transmisión mutua y recíproca de sensaciones paterno/materno-filiales; por un lado la confianza del bebé mediante el tacto y el saber de la presencia del padre/madre, y por otro el placer de saber y poder transmitir tal placer se traducen en una auténtica y prometedora simbiosis.

La autoestima del bebé en clara potenciación, su mejora de futuras psicomotrocidades, su confianza en sus posibilidades físicas y mentales así como el relax terapéutico producido por la propia flotabilidad, sus razones más que suficientes, poderosas, contrastables, para intentar que tal círculo de beneficios sean compartidos, extendidos al máximo de población.

Es sólo uno de los múltiples ejemplos de posibilidades que el mundo infantil nos ofrece y que hemos de potenciar y amplificar, por los múltiples beneficios individuales, familiares y sociales que proporcionan.

De ahí, uno de los múltiples nuevos conceptos ya en fase de ejecución, consistentes en generar auténticos clubs infantiles, dentro de los clubs generales. Unos clubs con vida

084
085
086
087
088
089
090
091
092
093
094
095
096
097
098
099
100
101
102
103
104
105
106
107
108
109
110
111
112
113
114
115
116
117
118
119
120
121
122
123
124
125
126
127
128
129
130
131
132
133
134
135
136
137
138
139
140
141
142
143
144
145
146
147
148
149
150
151
152
153
154
155
156
157
158
159
160
161
162
163
164
165
166

y actividad propia, con un sinfín de posibilidades de crecimiento y desarrollo futuros.

De forma paralela, nos encontramos ante una sociedad que por su propia e intrínseca (aunque no siempre deseable) competitividad, conlleva a que invirtamos enormes cantidades de esfuerzo, de energía y de dinero, en cursos, cursillos de formación complementaria para nuestros hijos (quizás tan hiperprotegidos).

Así no hay infante que no sea machacado en las horas libres de colegio, a efectuar esos talleres de música, de danza, de artes marciales, de pintura, de plástica, de deportes complementarios…, o de cualquier otra actividad que se nos pueda ocurrir.

Pues bien, ello genera de forma paralela a convertir al padre, o en general a la madre, en auténtica taxista de tarde, arriba y abajo, de curro en curro, de niño en niño, arriba y abajo, de escuela en escuela, arriba y abajo. Agotador.

Todo ello nos ha llevado a proponer y desarrollar estos nuevos clubs infantiles paralelos, especializados en el mundo de la gente menuda (de los "locos bajitos" de nuestro querido Serrat). Clubs donde nuestros hijos puedan desarrollar todas esas actividades de forma dirigida, pero en un lugar centralizado, junto al Centro de adultos, donde los padres puedan ejercitarse o relajarse simultáneamente con el placer y satisfacción de dar cumplida respuesta a los objetivos auto impuestos a sus hijos, y de forma paralela a su actividad física y saludable.

When my daughter Laia, who is now 8 years old, was just a week old two important things happened: the first was that the stump of her umbilical cord fell off; and the second was her first "dip" in a pool, with me as a companion and Denise waiting by expectantly. In order to do the second we had to wait for the first to happen. I think it was one of those moments where I should have worn a bib, because I was drooling with pleasure. One of those moments that become deeply etched onto your mental hard drive for life, because it is such a pleasant and gratifying experience. My daughter floating tranquilly in the pool's water, water duly treated with ozone to prevent smells and irritations to the skin and eyes. The baby's reflex is to float, as a natural prolongation of its state in utero, floating in amniotic fluid. A reflex that is lost after the newborn turns 2 months old, but which occurs spontaneously during those first weeks of life outside the womb.

The mutual and reciprocal transmission of paternal/maternal-filial sensations; on one hand the baby's trust at being held and knowing that her mother and father are close by, and on the other the pleasure of knowing and being able to transmit that pleasure translates into a real, promising symbiosis.

The strengthening of the baby's self-esteem, the improvement of her future psychomotor functions, her faith in her mental and physical possibilities, and the therapeutic relaxation produced by the ability to float itself, these solid, powerful reasons are more than sufficient to want to share that mutual circle of benefits with as many people as possible.

This is just one of the many examples of the possibilities the child's realm offers us and which we have to foster and cultivate, for the multiple individual, social and family benefits they offer.

Thus, one of the many new concepts already in the execution phase consists in creating clubs that are truly for children, within the larger clubs. These children's clubs will have their own life and activities, and endless possibilities for future growth and development. At the same time, we find ourselves in a society whose intrinsic (and not always

desirable) competitiveness carries with it the fact that we invest vast amounts of effort, energy and money into classes and courses to complement the education of our children (who are often also overprotected).

So all of our children have activities crammed into their free time from school, such as music classes, or dance, or martial arts, or painting, or sculpture, or extra sport… or any other pursuit that we can think up.

All this leads to turning the father, or more often the mother, into a virtual taxi driver in the afternoons, up and down, from job to job, from child to child, up and down, from school to school, up and down. It's exhausting.

All these factors combined have brought us to propose and develop these new parallel children's clubs, specialised in the little people's realm (the "short little crazy folk" as our beloved Serrat sang). Clubs where our children can participate in all these activities under supervision and with guidance, but in one single place, right beside the adults' sport centre, where parents can exercise and relax at the same time, with the pleasure and satisfaction of having fulfilled their self-imposed objectives for their children, as well as their own needs for healthy physical activity.

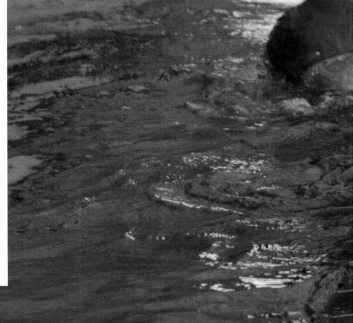

084
085
086
087
088
089
090
091
092
093
094
095
096
097
098
099
100
101
102
103
104
105
106
107
108
109
110
111
112
113
114
115
116
117
118
119
120
121
122
123
124
125
126
127
128
129
130
131
132
133
134
135
136
137
138
139
140
141
142
143
144
145
146
147
148
149
150
151
152
153
154
155
156
157
158
159
160
161
162
163
164
165
166

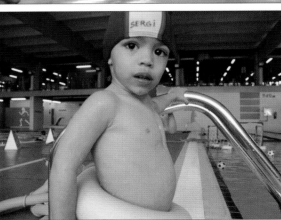
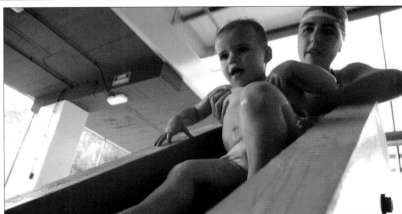

LA TERCERA EDAD

Siempre me han causado un cierto desánimo y desaliento, los regalos consistentes en objetos o cosas materiales.

Con mi familia practicamos, desde que conocí a la que seria mi esposa, Denise, hace ya más de 15 años, una teoría llevada exitosamente a la práctica consistente en regalarnos, pues, cosas no materiales (y por tanto no cosas). ¿os habéis fijado que todas las cosas importantes de la vida, no son cosas?

Ello requiere un higiénico ejercicio de imaginación y de no relajamiento mental.

Y lo explico porque hace ya algunos años, se nos ocurrió regalar a mis padres, en navidades, entonces con 75 años, un abono para una de las entonces últimas realizaciones profesionales del despacho: El Club Europolis Cerdenya. Todo un año pagado por adelantado, para su uso y disfrute a granel.

Recuerdo, perfectamente, las caras de incredulidad y sorpresa de mis progenitores, pensando que el hijo Arquitecto volvía a mostrar su cara más alocada propia de una profesión vinculada socialmente al concepto de "genios alumbrados e iluminados pero sin practicidad en el horizonte".

-¿Crees tú, que a nuestra edad vamos ahora a comenzar a asistir a un Club Deportivo?-
-No podrías comportarte como alguien normal y cabal, y regalar un útil reloj, una pulsera (tan necesaria), un bolso o una de las colonias machaconamente mostradas en los anuncios televisivos para mejor disimular nuestra condición de personas.

Unos quince días después, se atrevieron a "pasar por allí" y entrar a ver que tal pintaba aquel Centro. Antes de una semana después, ya iban con su bolsa de deporte hasta el Centro. Pero aún no se atrevían con la "locura" filial. Finalmente, y ante la inminente sensación de haber ya tirado por la borda una cuota mensual, sin su uso y disfrute, decidieron "rentabilizar", mínimamente aunque fuera, el abono.

Su vida se transformó a partir de llegar hasta el vestuario. Se convirtieron en uno de los muchos y encantadores usuarios diarios de nuestros Clubs.

En su mente no entraba, no estaba para ello

programada, la asistencia a un Centro Deportivo, algo que era en su subconsciente destinado a la juventud, a la lozanía física y mental propia de los jóvenes.

La cultura popular de la generación de post guerra, con tanto sufrimiento almacenado en su frigorífico emocional, con tantas privaciones y escaseces, bloqueaba la llegada de la cultura del bienestar de las nuevas generaciones surgidas después del acceso a la democracia del país.

Me encanta explicar la anécdota, como clarificadora en sumo grado, del acceso inesperado de esas personas, de esa gente mayor curtida por la vida y la experiencia y castigada por la escasez a quienes les abrimos unas expectativas, tan desconcertantes como excitantes, tan emocionantes como gratificantes, tan novedosas como saludables.

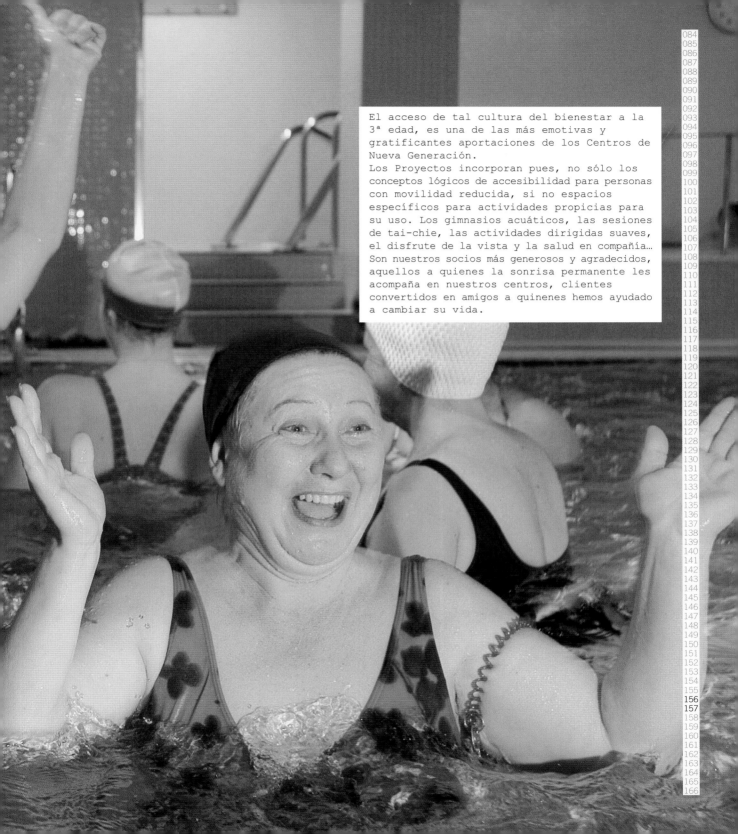

El acceso de tal cultura del bienestar a la
3ª edad, es una de las más emotivas y
gratificantes aportaciones de los Centros de
Nueva Generación.
Los Proyectos incorporan pues, no sólo los
conceptos lógicos de accesibilidad para personas
con movilidad reducida, si no espacios
específicos para actividades propicias para
su uso. Los gimnasios acuáticos, las sesiones
de tai-chie, las actividades dirigidas suaves,
el disfrute de la vista y la salud en compañía…
Son nuestros socios más generosos y agradecidos,
aquellos a quienes la sonrisa permanente les
acompaña en nuestros centros, clientes
convertidos en amigos a quinenes hemos ayudado
a cambiar su vida.

084
085
086
087
088
089
090
091
092
093
094
095
096
097
098
099
100
101
102
103
104
105
106
107
108
109
110
111
112
113
114
115
116
117
118
119
120
121
122
123
124
125
126
127
128
129
130
131
132
133
134
135
136
137
138
139
140
141
142
143
144
145
146
147
148
149
150
151
152
153
154
155
156
157
158
159
160
161
162
163
164
165
166

I have always been somewhat disheartened and dispirited by gifts that are objects or material things.

In my family our tradition, ever since I met Denise, the woman who would become my wife, now more than 15 years ago, is based on a theory that we have successfully brought into practice which consists of giving each other gifts that are not material things (and therefore not things). Have you ever noticed that all the most important things in life aren't things?

This requires a healthy exercise of one's imagination and a workout of one's brain.

And I am explaining this because, a few years ago at Christmastime, we had the idea of giving my parents, who were then 75 years old, a membership to what was at the time one of our office's most recently completed projects: El Club Europolis Cerdenya.

An entire year paid in advance, for them to use and enjoy as they saw fit.

I remember perfectly the incredulous, surprised faces of my parents, who must have been thinking that their architect son had once again shown his wild, reckless side, so characteristic of a profession socially linked to the concept of "enlightened but not practical geniuses."

"Do you really think, at our age, that we are going to start going to a Sport Club?"
"Couldn't you just act like a normal person, and give us something useful like clock, or a watch, or a handbag or one of those perfumes insistently advertised on telly so we can mask our humanness.

A couple of weeks later, they got up the courage to "pass by" and have a look at the Centre. Less than a week later, they were already headed to the Centre with their gym bag. But they still weren't convinced about their son's "madness."

Finally, faced with the imminent remorse of having wasted a month's fees without having used or enjoyed them, they decided to "make the most" of the membership, even if just minimally.

Their lives were transformed by that visit. They become two of the many, delighted daily users of our Clubs.

Their minds couldn't imagine, they just weren't prepared for it, going to a Sports Centre, something that they subconsciously relegated to youth, to the physical and mental sparkle of the young.

The popular culture of the post-Civil War generation, with so much suffering stored in their emotional freezer, so much hardship and scarcity, hindered the arrival of the culture of wellbeing that the new generations born after Spain's transition to democracy enjoy. I love telling that story, since it so clearly expresses how we were able to change the expectations of a couple of senior citizens, toughened by life's experiences and beaten by hardship. These new expectations were as disconcerting as they were exciting, as exhilarating as they were gratifying, as

084
085
086
087
088
089
090
091
092
093
094
095
096
097
098
099
100
101
102
103
104
105
106
107
108
109
110
111
112
113
114
115
116
117
118
119
120
121
122
123
124
125
126
127
128
129
130
131
132
133
134
135
136
137
138
139
140
141
142
143
144
145
146
147
148
149
150
151
152
153
154
155
156
157
158
159
160
161
162
163
164
165
166

innovative as they were healthy.
This access to the culture of wellbeing for the elderly is one of the most moving and gratifying contributions of the New Generation Centres.
The Projects include not only the logistical concepts of accessibility for people with reduced mobility, but also specific spaces for activities conducive to their use. Aquatic exercises, tai-chi sessions, gentle classes, enjoying the view and a healthy lifestyle in the company of others…
They are our most generous and grateful members, the ones with permanent smiles on their faces when at our centres, clients that have become friends whom we have helped to change their lives.

084
085
086
087
088
089
090
091
092
093
094
095
096
097
098
099
100
101
102
103
104
105
106
107
108
109
110
111
112
113
114
115
116
117
118
119
120
121
122
123
124
125
126
127
128
129
130
131
132
133
134
135
136
137
138
139
140
141
142
143
144
145
146
147
148
149
150
151
152
153
154
155
156
157
158
159
160
161
162
163
164
165
166

EL DISEÑO GRÁFICO APLICADO A LA ARQUITECTURA

En la concepción de los espacios interiores de los centros se trabaja en la integración de la señalización en el diseño de los espacios interiores, utilizándolo como una herramienta de comunicación. Se pretende que los espacios, a través de su apariencia se expliquen por sí solos, sin necesidad de ponerles un cartel representando las diferentes zonas de los centros.

Se establecen códigos cromáticos que identifican las zonas de usos exclusivamente femeninos y masculinos, colores complementarios que señalizan zonas de uso colectivo (como los vestuarios de grupos y las salas de actividades dirigidas), las zonas complementarias o secundarias (salas de masajes, estética, uva, servicios médicos, administración, salas de monitores…) y finalmente un color para la señalización de las vías de evacuación. Los mismos colores se utilizan además para delimitar las áreas del fitness: la zona de musculación, la de cardiovascular, la de pesas y los estiramientos.

Con la aplicación de 6 colores de una forma rigurosa se puede resolver el sistema de señalización. Una vez pintados los espacios hay que indicar los diferentes servicios del centro. El concepto gráfico consiste en dibujar lo que pasa tras los cerramientos arquitectónicos, representar con personajes de dimensiones humanas la actividad que se realiza tras paramentos opacos o transparentes (previamente "teñidos" del color correspondiente). Los pictogramas se dibujan todos (incluso
para la señalización de emergencia) a partir de fotografías de personas realizando las diferentes actividades que se pueden encontrar como servicios del centro.

En la filosofía de integrar la arquitectura con el diseño se han proyectado para algunos clubes parte del mobiliario. Son diseños que se inspiran o recuperan materiales típicos del mundo deportivo, este es el caso de las papeleras formadas por un aro de canasta, las lámparas que recuperan las corcheras de carril de piscina o el panel de anuncios formado por tiras de goma de los colores corporativos.

GRAPHIC DESIGN APPLIED TO ARCHITECTURE

It has been more than 6 years now since we introduced a department into our office that turned out to be innovative for the sector, the graphic design department.

We firmly believed, and we still do, that Architecture as an Art has clearly identifiable satellites in its orbit, which should accompany and complement each architectural proposal. One of these satellites is, undoubtedly, graphic design.

We have always been somewhat dismayed by the presence, in the large majority of buildings (especially those for public use), of a never-ending succession of signs, accompanying us as we walk, indicating what we should do, and what we shouldn't do, with aggressive texts telling us what function each room has.

Of course we also consider it unavoidable that we will have to have a graphic complement to our projects, in order to help shape the brand new route through them, but in an informal way. And we realised that this signage could, at the same time, become a highly valuable aesthetic element in its own right.

And what better example than the style book created by and for the Duet Sports chain, from which we will show you, below, some of the notes from that musical score, created by our own collaborators, who applied themselves time and again until they had just the effects of movement and activity that they sought.

084
085
086
087
088
089
090
091
092
093
094
095
096
097
098
099
100
101
102
103
104
105
106
107
108
109
110
111
112
113
114
115
116
117
118
119
120
121
122
123
124
125
126
127
128
129
130
131
132
133
134
135
136
137
138
139
140
141
142
143
144
145
146
147
148
149
150
151
152
153
154
155
156
157
158
159
160
161
162
163
164
165
166

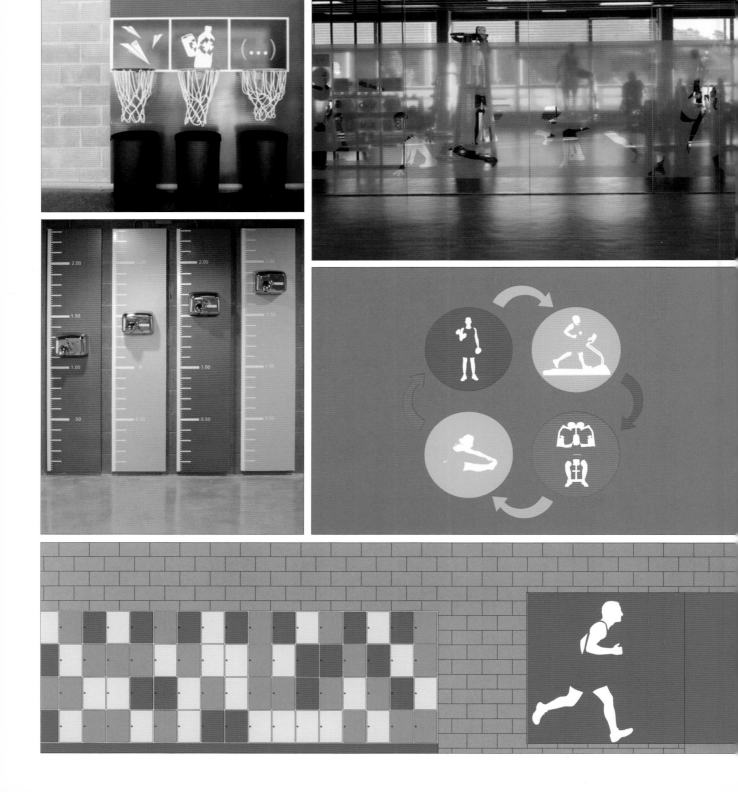

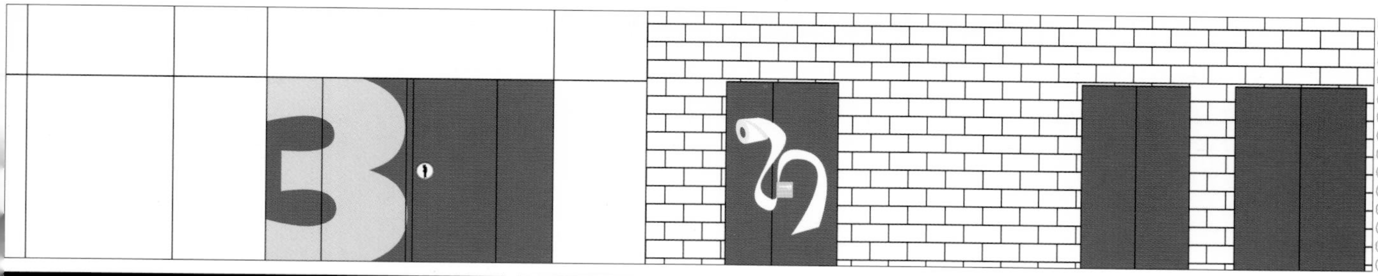

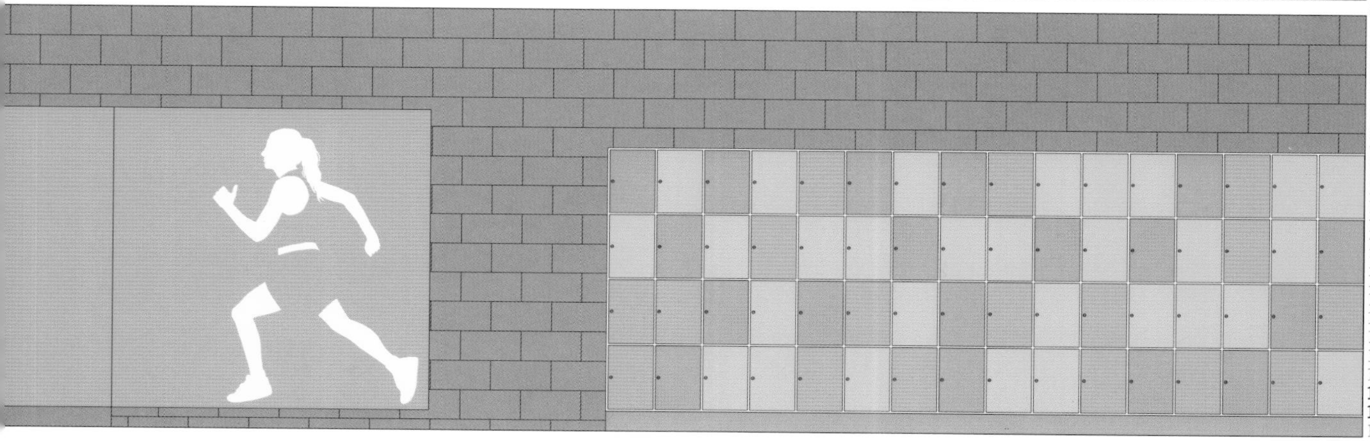

084
085
086
087
088
089
090
091
092
093
094
095
096
097
098
099
100
101
102
103
104
105
106
107
108
109
110
111
112
113
114
115
116
117
118
119
120
121
122
123
124
125
126
127
128
129
130
131
132
133
134
135
136
137
138
139
140
141
142
143
144
145
146
147
148
149
150
151
152
153
154
155
156
157
158
159
160
161
162
163
164
165
166

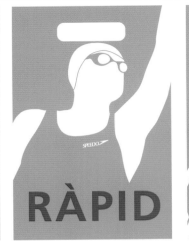

LENT

RÀPID

ACTIVITATS
I CURSETS

n e d a
per la
dreta

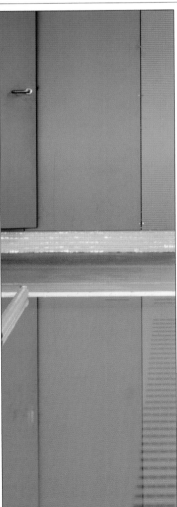

166
167
168
169
170
171
172
173
174
175
176
177
178
179
180
181
182
183
184
185
186
187
188
189
190
191
192
193
194
195
196
197
198
199
200
201
202
203
204
205
206
207
208
209
210
211
212
213
214
215
216
217
218
219
220
221
222
223
224
225
226
227
228
229
230
231
232
233
234
235
236
237
238
239
240
241
242
243
244
245
246
247
248

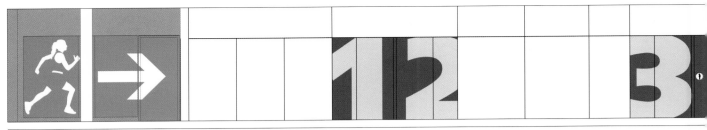

METGE 01   METGE 02   FISIOTERÀPIA   FISIOTERÀPIA   RAIGS UVA   OFFICE   VESTUARI   VESTUARI   INSTAL·LACIONS
                                     MASSATGE 01   MASSATGE 02

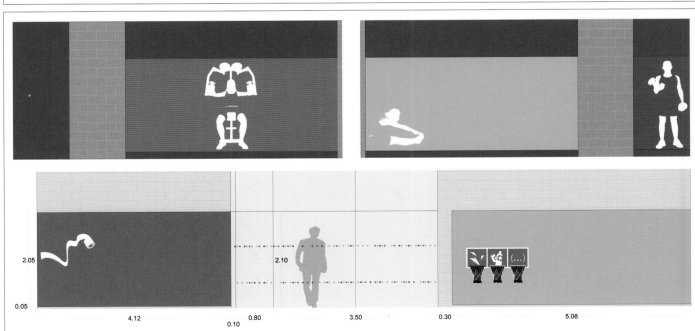

2.05

0.05

4.12   0.80   3.50   0.30   5.08

0.10

166
167
168
169
170
171
172
173
174
175
176
177
178
179
180
181
182
183
184
185
186
187
188
189
190
191
192
193
194
195
196
197
198
199
200
201
202
203
204
205
206
207
208
209
210
211
212
213
214
215
216
217
218
219
220
221
222
223
224
225
226
227
228
229
230
231
232
233
234
235
236
237
238
239
240
241
242
243
244
245
246
247
248

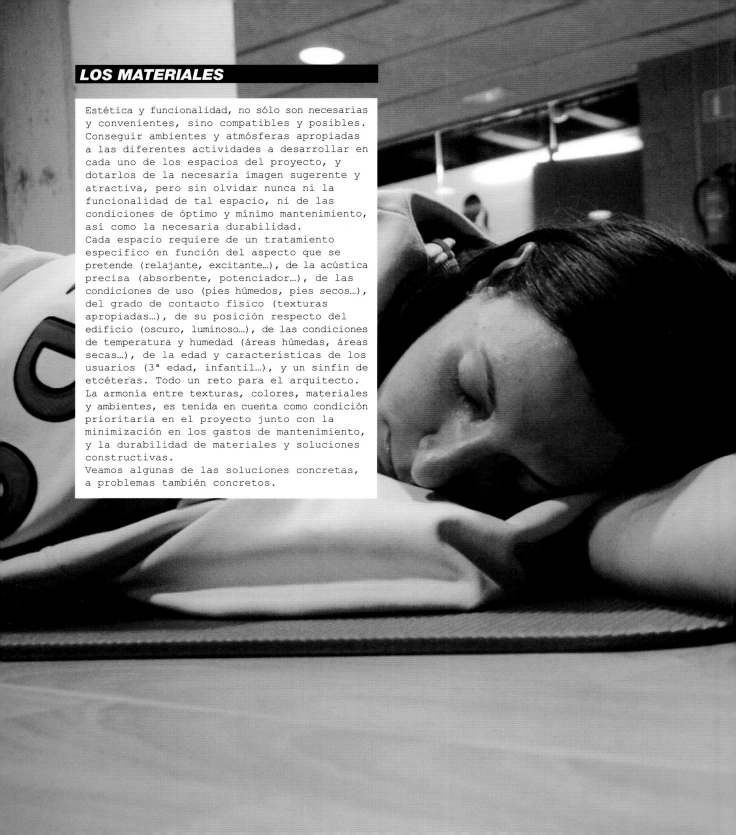

LOS MATERIALES

Estética y funcionalidad, no sólo son necesarias
y convenientes, sino compatibles y posibles.
Conseguir ambientes y atmósferas apropiadas
a las diferentes actividades a desarrollar en
cada uno de los espacios del proyecto, y
dotarlos de la necesaria imagen sugerente y
atractiva, pero sin olvidar nunca ni la
funcionalidad de tal espacio, ni de las
condiciones de óptimo y mínimo mantenimiento,
así como la necesaria durabilidad.
Cada espacio requiere de un tratamiento
especifico en función del aspecto que se
pretende (relajante, excitante…), de la acústica
precisa (absorbente, potenciador…), de las
condiciones de uso (pies húmedos, pies secos…),
del grado de contacto físico (texturas
apropiadas…), de su posición respecto del
edificio (oscuro, luminoso…), de las condiciones
de temperatura y humedad (áreas húmedas, áreas
secas…), de la edad y características de los
usuarios (3ª edad, infantil…), y un sinfín de
etcéteras. Todo un reto para el arquitecto.
La armonía entre texturas, colores, materiales
y ambientes, es tenida en cuenta como condición
prioritaria en el proyecto junto con la
minimización en los gastos de mantenimiento,
y la durabilidad de materiales y soluciones
constructivas.
Veamos algunas de las soluciones concretas,
a problemas también concretos.

THE CHOICE OF MATERIALS

170
171
172
173
174
175
176
177
178
179
180
181
182
183
184
185
186
187
188
189
190
191
192
193
194
195
196
197
198
199
200
201
202
203
204
205
206
207
208
209
210
211
212
213
214
215
216
217
218
219
220
221
222
223
224
225
226
227
228
229
230
231
232
233
234
235
236
237
238
239
240
241
242
243
244
245
246
247
248

Aesthetics and functionality are not only necessary and convenient, but also compatible and possible, as we will see in the following trajectory through the projects carried out by our office.

We always strive to create surroundings and atmospheres that are appropriate to the different activities that will be carried out in each one of the spaces of the project, and endow them with the needed attractive and suggestive image. At the same time, we never fail to remember the function of each space, or the conditions of optimal and minimal maintenance, such as the necessary durability.

Each space requires a specific treatment according to the appearance it aspires to (relaxing, exciting…), the acoustics needed (absorbing, amplifying…) the users' condition (wet feet, dry feet…), the degree of physical contact (appropriate textures…), its position with respect to the building (dark, luminous…), the temperature and humidity conditions (damp areas, dry areas…), the age and characteristics of the users (elderly, children…), and infinite etceteras. Quite a challenge for the architect. The harmony between the textures, colours, materials and atmospheres must be taken into account as a priority specification for the project, along with the minimising of maintenance expenses, the durability of the materials and the construction solutions.

We will now show some concrete solutions to some concrete problems.

LAS FACHADAS

La integración del edificio en el entorno
preexistente, con siempre diferentes condiciones
de partida, en función de múltiples y variadas
consideraciones paisajistas, ambientales,
climáticas, etc, hacen muy variado el espectro
de soluciones formales.
Sin embargo, nos referimos seguidamente, no
tanto a la solución arquitectónica en sí, si
no más bien al abanico de materiales empleados.
La Plancha de aluminio ondulada
La Piedra
El vidrio
El hormigón visto
Todos ellos pensados como estética integradora,
sin o con mínimo mantenimiento.

THE FACADES

The integration of a building into a pre-
existing setting, which always has different
starting points, according to many varied
considerations of the landscape, environment,
climate, etc., requires a wide spectrum of
formal solutions.
However, below, we will mention not so much
the architectural solution in itself, but
rather the range of materials used.
Corrugated aluminium sheet
Stone
Glass
Exposed concrete

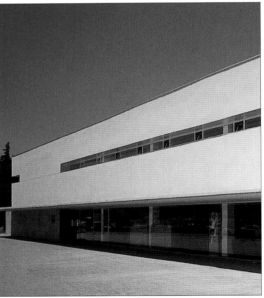

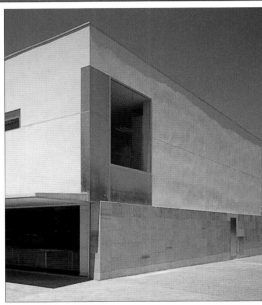

166
167
168
169
170
171
172
173
174
175
176
177
178
179
180
181
182
183
184
185
186
187
188
189
190
191
192
193
194
195
196
197
198
199
200
201
202
203
204
205
206
207
208
209
210
211
212
213
214
215
216
217
218
219
220
221
222
223
224
225
226
227
228
229
230
231
232
233
234
235
236
237
238
239
240
241
242
243
244
245
246
247
248

LOS INTERIORES

Es este uno de los apartados, donde aún con
más presión, se solicita al material la
durabilidad máxima, así como el mínimo
mantenimiento, por supuesto sin olvidar el
agradable aspecto visual con la máxima
temporalidad posible.
Los revestimientos cerámicos
El bloque de hormigón
Los tableros fenólicos de alta densidad
Los falsos techos
• Las virutas prensadas(Heraklith)
• El yeso acústico
• El Aluminio

THE INTERIORS

This is one of the sections that strictly
demands material of the highest durability,
as well as the lowest maintenance, while, of
course, keeping in mind that the appearance
of the interiors must be pleasant and this
visual aspect should have as long a life span
as the materials used.
Ceramic casings
Concrete block
High-density plywood decks
False ceilings
• Magnesite bound woodwool slabs (Heraklith)
• Acoustic plaster.
• Aluminium.

166
167
168
169
170
171
172
173
174
175
176
177
178
179
180
181
182
183
184
185
186
187
188
189
190
191
192
193
194
195
196
197
198
199
200
201
202
203
204
205
206
207
208
209
210
211
212
213
214
215
216
217
218
219
220
221
222
223
224
225
226
227
228
229
230
231
232
233
234
235
236
237
238
239
240
241
242
243
244
245
246
247
248

LAS PISCINAS

Si bien es el recubrimiento vitrocerámico tipo "gresite" el material más habitual de uso y aceptación, éste puede producirse en varias alternativas, mientras en los últimos tiempos se han ido introduciendo materiales que han ganado aceptación por su impacto novedoso visual, tales como el Acero Inoxidable, la piedra natural, o la cerámica.
En la actualidad estamos trabajando en la experimentación con dos novedosos elementos, que una vez demostradas sus óptimas condiciones de aspecto, durabilidad, fiabilidad y mantenimiento, podrán ser finalmente adaptados para su uso, en un relativo corto periodo.

THE POOLS

While vitroceramic coating, such as gresite, is the most widely accepted and utilised material, it is available in several different types, and recently new materials have been introduced that have been gaining ground due to their innovative visual impact. These include stainless steel, natural stone and ceramics. We are currently experimenting with two new elements, and once they have proven their optimal conditions in terms of appearance, durability, reliability, and maintenance, in a relatively short period of time they will ready to be adapted for use.

166
167
168
169
170
171
172
173
174
175
176
177
178
179
180
181
182
183
184
185
186
187
188
189
190
191
192
193
194
195
196
197
198
199
200
201
202
203
204
205
206
207
208
209
210
211
212
213
214
215
216
217
218
219
220
221
222
223
224
225
226
227
228
229
230
231
232
233
234
235
236
237
238
239
240
241
242
243
244
245
246
247
248

LOS VESTUARIOS

Aquel espacio donde pasamos considerable tiempo,
y donde la Arquitectura de interiores tiene
también mucho que decir y que aportar: la
comodidad, la amplitud y el color son nuestros
recursos.

THE CHANGING ROOMS

The space where we spend a considerable time,
where Interior Architecture has a lot to say
and contribute: comfort, extent and colour are
our resources.

166
167
168
169
170
171
172
173
174
175
176
177
178
179
180
181
182
183
184
185
186
187
188
189
190
191
192
193
194
195
196
197
198
199
200
201
202
203
204
205
206
207
208
209
210
211
212
213
214
215
216
217
218
219
220
221
222
223
224
225
226
227
228
229
230
231
232
233
234
235
236
237
238
239
240
241
242
243
244
245
246
247
248

LAS INSTALACIONES VISTAS

Si bien en el mundo industrial o el
automovilístico, es relativamente usual el
disponer de las "instalaciones" vistas, llegando
incluso a ser un elemento distintivo y valorado,
en el mundo Arquitectónico son aún habituales
las reticencias a su uso. El Centro Pompidou,
de nuestro socio y amigo Richard Rogers, fue
primero en tal sentido, con feroces críticas
en los primeros años. Críticas que con el
tiempo, se han convertido en manifiestas
alabanzas, pasando a ser una una referéncia
de modernidad.
El manifestar tales conductos, no solo no nos
molesta, sino que lo potenciamos de forma
clara y evidente.

VISIBLE FACILITIES

Though in the industrial and car world is
relatively usual to have "facilities" at sight,
managing to even be a distinctive and valued
element, there's still a reticence in the
Architectural world reticence about their use.
The Pompidou Centre, created by our associate
and friend Richard Rogers, was pioneer to this
respect, receiving ferocious critiques in the
first years that -with pass of time- turned
into great praises, as a reference of modernity.
Showing all these conduits, is not only
bearable, but also a thing to promote clear
and evidentially.

166
167
168
169
170
171
172
173
174
175
176
177
178
179
180
181
182
183
184
185
186
187
188
189
190
191
192
193
194
195
196
197
198
199
200
201
202
203
204
205
206
207
208
209
210
211
212
213
214
215
216
217
218
219
220
221
222
223
224
225
226
227
228
229
230
231
232
233
234
235
236
237
238
239
240
241
242
243
244
245
246
247
248

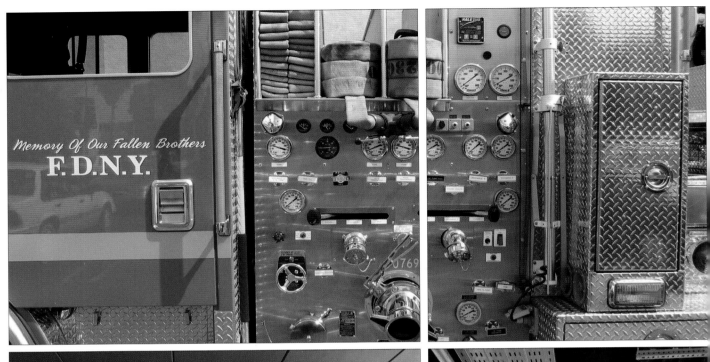

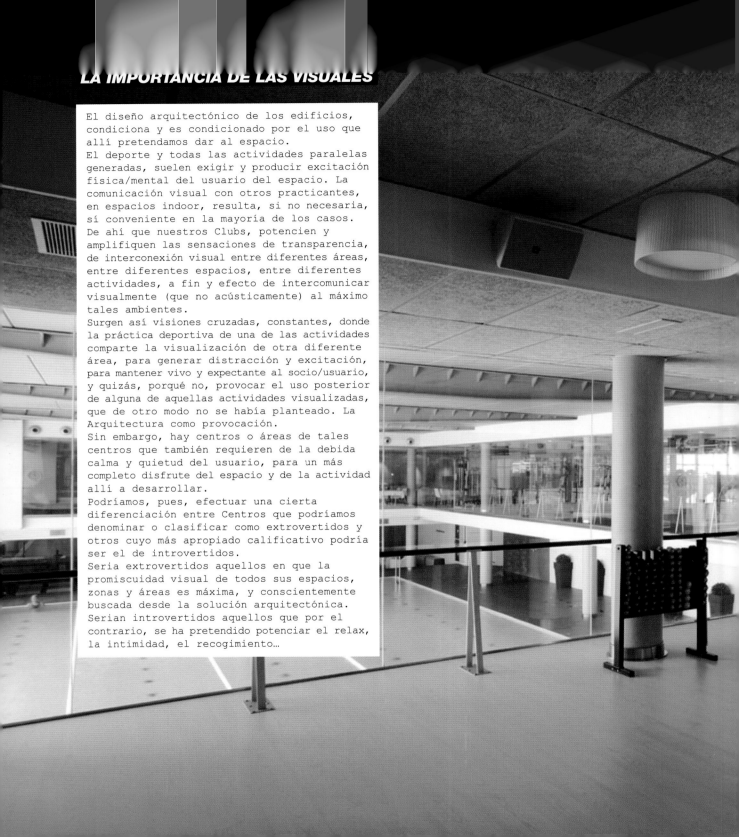

El diseño arquitectónico de los edificios, condiciona y es condicionado por el uso que allí pretendamos dar al espacio.

El deporte y todas las actividades paralelas generadas, suelen exigir y producir excitación física/mental del usuario del espacio. La comunicación visual con otros practicantes, en espacios indoor, resulta, si no necesaria, sí conveniente en la mayoría de los casos. De ahí que nuestros Clubs, potencien y amplifiquen las sensaciones de transparencia, de interconexión visual entre diferentes áreas, entre diferentes espacios, entre diferentes actividades, a fin y efecto de intercomunicar visualmente (que no acústicamente) al máximo tales ambientes.

Surgen así visiones cruzadas, constantes, donde la práctica deportiva de una de las actividades comparte la visualización de otra diferente área, para generar distracción y excitación, para mantener vivo y expectante al socio/usuario, y quizás, porqué no, provocar el uso posterior de alguna de aquellas actividades visualizadas, que de otro modo no se había planteado. La Arquitectura como provocación.

Sin embargo, hay centros o áreas de tales centros que también requieren de la debida calma y quietud del usuario, para un más completo disfrute del espacio y de la actividad allí a desarrollar.

Podríamos, pues, efectuar una cierta diferenciación entre Centros que podríamos denominar o clasificar como extrovertidos y otros cuyo más apropiado calificativo podría ser el de introvertidos.

Seria extrovertidos aquellos en que la promiscuidad visual de todos sus espacios, zonas y áreas es máxima, y conscientemente buscada desde la solución arquitectónica. Serian introvertidos aquellos que por el contrario, se ha pretendido potenciar el relax, la intimidad, el recogimiento…

The architectural design of buildings conditions, and is conditioned by, the use intended for the space.

Sport and all the parallel activities generated around it usually demand and produce mental and physical stimulation in the space's users. Visual communication with other users is perhaps not necessary but definitely convenient in most cases.

Thus our Clubs promote and maximise a feeling of transparency, of visual interconnection between different areas, between different spaces, between different activities, in order to achieve a final effect of the utmost visual (but not acoustic) exchange between the different settings.

This is where the constant crossed sightlines come in. Sport activity in one area reveals a view of another, different area, generating excitement and distraction, keeping the member/user active and eager, and perhaps (why not?) leading to the later use of one of the activities that has been seen, which the user wouldn't have otherwise considered. Architecture as provocation.

Nevertheless, there are centres, and areas of centres, that also require the appropriate peace and tranquillity for the user, so they can fully enjoy the space and the activity that takes place within it.

Therefore, we can make a distinction between the centres that we could classify as "extroverted" and the centres that would be more appropriately designated as "introverted." The extroverted centres are those in which the visual promiscuity of all the spaces, zones and areas is maximised and consciously sought after as part of the architectural solution. On the other hand, the introverted centres are those that seek to maximise relaxation, privacy, meditativeness…

170
171
172
173
174
175
176
177
178
179
180
181
182
183
184
185
186
187
188
189
190
191
192
193
194
195
196
197
198
199
200
201
202
203
204
205
206
207
208
209
210
211
212
213
214
215
216
217
218
219
220
221
222
223
224
225
226
227
228
229
230
231
232
233
234
235
236
237
238
239
240
241
242
243
244
245
246
247
248

CENTROS EXTROVERTIDOS

EXTROVERTED CENTRES

METROPOLITAN GRAN VIA

166
167
168
169
170
171
172
173
174
175
176
177
178
179
180
181
182
183
184
185
186
187
188
189
190
191
192
193
194
195
196
197
198
199
200
201
202
203
204
205
206
207
208
209
210
211
212
213
214
215
216
217
218
219
220
221
222
223
224
225
226
227
228
229
230
231
232
233
234
235
236
237
238
239
240
241
242
243
244
245
246
247
248

COLEGIO EUROPA

O2 CENTRO WELLNESS GIRONA

CENTROS INTROVERTIDOS

INTROVERTED CENTRES

DUET SPORTS

METROPOLITAN SAGRADA FAMILIA

VESTUARIOS FCB

CETRO WELLNESS O2 PEDRALBES

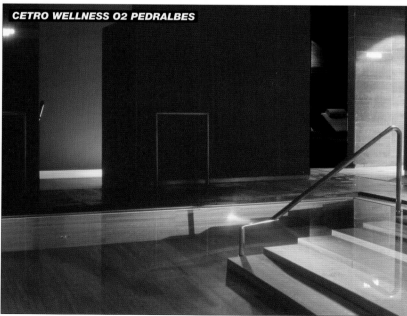

CETRO WELLNESS O2 PEDRALBES

166
167
168
169
170
171
172
173
174
175
176
177
178
179
180
181
182
183
184
185
186
187
188
189
190
191
192
193
194
195
196
197
198
199
200
201
202
203
204
205
206
207
208
209
210
211
212
213
214
215
216
217
218
219
220
221
222
223
224
225
226
227
228
229
230
231
232
233
234
235
236
237
238
239
240
241
242
243
244
245
246
247
248

LA PROMISCUIDAD FUNCIONAL DE NUESTROS CENTROS

La Arquitectura ha de dotar al espacio proyectado la máxima flexibilidad y polivalencia, para su uso, hablando de Centros Deportivos. No solo por la cantidad de posibilidades de presente, sino muy en especial por la importante aparición continua y permanente, de nuevas incorporaciones. Pensemos que en los últimos 5 años, los listados de actividades dirigidas, se han incrementado en no menos de 10 nuevas apariciones.

Será pues, una de las pautas de diseño el plantear desde el primer momento en la estructura y fundacional del edificio, luces y crujías amplias que permitan modularidad y máxima libertad distributiva, en una óptima relación con su coste económico.

Así mismo, fachadas que posibiliten alternativas varias y fáciles adaptaciones a los tan rápidos cambios.

Será interesante reproducir seguidamente, algunos de los programas y pubicidades de actividades dirigidas de varios de los Centros, para mejor entender lo que significa variedad...

THE FUNCTIONAL PROMISCUITY OF OUR CLUBS

Architecture must endow the designed space with the maximum flexibility and multivalency for its use, particularly in the case of sport centres. Not only due to the wide range of current possibilities, but also, and especially, due to the importance of the constant, permanent appearance of new additions. In the last 5 years alone, the lists of classes have increased by no less than 10 new additions.

As a result, one of the design criteria is planning, from the very beginning, for a wide span between support pillars in the building's structure, allowing modularity and maximum distributive freedom, without accruing additional costs.

Likewise, the façades should permit various alternatives and be easily adaptable to rapid changes.

Below we will cite some of the classes offered at different Centres, in order to better understand what we mean by variety...

ACTIVIDADES EN LOS CLUBS DEPORTIVOS
ACTIVITIES IN THE SPORT CLUBS

| FITNESS | NATACIÓN Y ACTIVIDADES DINAMICAS AQUATICAS | ACTIVIDADES COLECTIVAS DE SALA | ACTIVIDADES TERMALES AQUÁTICAS DE RELAX |
| FITNESS | NATACIÓN Y ACTIVIDADES DINAMICAS AQUATICAS | ACTIVIDADES COLECTIVAS DE SALA | ACTIVIDADES TERMALES AQUÁTICAS DE RELAX |

Inici	Fi	Sala				
		SALA 1	CARDIO TONO			BODY PUMP
7:15h.	-08:00h.	SALA CYCLING		CYCLING		CYCLING
8:00h.	-08:35h.	SALA 1				GAC EXPRES
8:00h.	-08:45h.	PISCINA	AIGUA GIM			SUAU
8:30h.	-09:20h.	SALA 1	BODY PUMP	ESTIRAMENTS	CA...	
9:15h.	-10:00h.	PISCINA	AIGUA WELLNESS	AIGUA GIM		SUAU
9:30h.	-10:20h.	SALA 1	BOSU	AEROBIC ESTILS	BO...	MENT
0:00h.	-10:50h.	SALA 2	GIM POSTURAL		GIM...	
0:00h.	-10:45h.	PISCINA			AIGUA GIM	
0:30h.	-11:15h.	SALA CYCLING	CYCLING	CYCLING	CYCLING	
0:30h.	-11:20h.	SALA 1	STEP	CARDIO TONO		GAC
0:30h.	-11:20h.	SALA 3	GIM GLOBAL	GIM GLOBAL		GIM GLOBA
0:30h.	-11:25h.	SALA 3			PILATES	
0:30h.	-12:00h.	SALA 2				
0:45h.	-11:30h.	PISCINA				
1:00h.	-11:50h.	SALA 2	GIM FIBROMIALGIA		GIM FIBROMIALGIA	
1:00h.	-11:45h.	PISCINA	AIGUA GIM	AIGUA WELLNESS	AIGUA SUAU	AIGUA GIM
1:30h.	-12:20h.	SALA 1	GAC		CARDIO TONO	BODY PUM
2:00h.	-12:55h.	SALA 2	IOGA	TAI TXI	IOGA	TAI TXI
2:30h.	-13:15h.	SALA CYCLING				
2:45h.	-13:30h.	PISCINA				
3:00h.	-13:55h.	SALA 2	IOGA		IOGA	
3:30h.	-14:15h.	SALA CYCLING		CYCLING		CYCLING
3:30h.	-14:20h.	SALA 1	GAC		BODY PUMP	
4:00h.	-14:55h.	SALA 2		TAI TXI		TAI TXI
4:15h.	-15:00h.	SALA CYCLING	CYCLING		CYCLING	
4:15h.	-15:00h.	PISCINA	AIGUA GIM		AIGUA WELLNESS	AIGUA SUAU
4:30h.	-15:15h.	SALA CYCLING		CYCLING		CYCLING
4:30h.	-15:20h.	SALA 1	BODY PUMP	STEP	GAC	BOSU
5:30h.	-16:15h.	SALA CYCLING	CYCLING		CYCLING	
5:30h.	-16:20h.	SALA 1	AEROBIC ESTILS	ESTIRAMENTS	BOSU	BODY PUM
5:30h.	-16:25h.	SALA 3	PILATES		PILATES	
6:30h.	-17:05h.	SALA 1		B. PUMP EXPRES	EST. EXPRES	
6:30h.	-17:20h.	SALA 1	GAC			CARDIO TON
7:00h.	-17:50h.	SALA 2	GIM FIBROMIALGIA		GIM POSTURAL	
7:30h.	-18:15h.	PISCINA				
7:30h.	-18:20h.	SALA 3	AEROBIC INFANTIL		AEROBIC INFANTIL	
7:30h.	-18:20h.	SALA 1	STEP	GAC	BODY BALANCE	BODY PUM
8:00h.	-18:55h.	SALA 2	IOGA		IOGA	
8:30h.	-19:15h.	SALA CYCLING	CYCLING	CYCLING		CYCLING
8:30h.	-19:20h.	SALA 1	GAC	STEP	BODY PUMP	ESTIRAMEN
8:30h.	-19:25h.	SALA 3	PILATES		PILATES	
9:15h.	-20:10h.	SALA 2		TAI TXI AVANÇAT		TAI TXI
9:30h.	-20:15h.	SALA CYCLING	CYCLING	CYCLING	CYCLING	CYCLING
9:30h.	-20:15h.	PISCINA	AIGUA GIM	AIGUA WELLNESS	AIGUA GIM	AIGUA SUAU
9:30h.	-20:20h.	SALA 1	BODY PUMP	AEROBIC ESTILS	STEP	BOSU
9:30h.	-20:25h.	SALA 3	PILATES		PILATES	
9:30h.	-20:20h.	SALA 3		GAC		ESTIRAMEN
0:30h.	-21:25h.	SALA 2	IOGA	TAI TXI	IOGA	TAI TXI AVAN
0:30h.	-21:15h.	SALA CYCLING	CYCLING	CYCLING	CYCLING	CYCLING
0:30h.	-21:15h.	PISCINA	AIGUA WELLNESS	AIGUA GIM	AIGUA WELLNESS	AIGUA GIM
0:30h.	-21:20h.	SALA 1	BODY COMBAT	BODY PUMP	CARDIO TONO	AEROBIC EST
0:30h.	-21:20h.	SALA 3	CARDIO TONO	ESTIRAMENTS	BODY BALANCE	GAC
1:30h.	-22:05h.	SALA 1				GAC EXPRES
1:30h.	-22:15h.	SALA CYCLING	CYCLING		CYCLING	CYCLING

Hora	Sala	1	2	3	4	5	6
	E1			TONO STEP			
8.00	E2		EN FORMA		CTC	EN FORMA	
	PS	AIGUAGIM		AIGUA CTC			
9.00	E2		GAC 30	ARS CORPORE	ESTIRAMENTS		
	PS			AIGUAGIM			
	SC		CYCLING		CYCLING		
9.30	E1	AERÒBIC		AERÒBIC		STEPS	
0.00	PS	AIGUAGIM	AIGUA CTC	AIGUAGIM	AIGUAGIM	AIGUAGIM	
	SC	CYCLING		CYCLING			
0.30	E1	TAI-TXI	TRECKING 90	TAI-TXI	TRECKING 90	TONO STEP	
	E2	GIM D'OR		GIM D'OR		ESTIRAMENTS 30	GAC 30
	SC		CYCLING				CYCLING
1.00	E2		IOGA		IOGA		
	PS	AIGUASTEP		AIGUAGIM		AIGUAERÒBIC	
	E1					GAC 30	
1.30	E2	EN FORMA		EN FORMA			

Hora	Sala	1	2	3	4	5	6
2.00	PS						AIGUAGIM
2.30	PS	AIGUA CTC	AIGUASTEP	AIGUA CTC	AIGUAERÒBIC	AIGUAGIM	
3.00	E1						STEPS
4.15	SF			DUET EXPRESS 30			
	SC	CYCLING					
4.30	PS		AIGUAGIM		AIGUA CTC		

Hora	Sala	1	2	3	4	5	6
	SC		CYCLING		CYCLING	CYCLING	
	E1			STEPS			
5.30	E2	FAT BURNING			EN FORMA		
	PS	AIGUAERÒBIC		AIGUAERÒBIC			
	E1	AERÒBIC BÀSIC	STEPS	AERÒBIC BÀSIC	FAT BURNING		
6.30	E2	TAI-TXI	ABD HIPOPRESSIUS	TAI-TXI	ABD HIPOPRESSIUS		
	PS	AIGUA 30	AIGUA 30	AIGUA 30			
7.30	E1	AERÒBIC	TONO STEP	AERÒBIC	STEPS	AERÒBIC	
8.00	SC	CYCLING	CYCLING	CYCLING	CYCLING		
	PS	AIGUA CTC	AIGUAGIM	AIGUASTEP	AIGUAGIM	AIGUAGIM	
8.30	E1	IOGA	FUNKY	IOGA	FUNKY	IOGA	
	E2	GAC 30	ESTIRAMENTS 30	ABDOMINALS	GAC 30		
9.00	SC	CYCLING	CYCLING	CYCLING			
	PS				AIGUAGIM		
	E1			AERÒBIC	TAI-TXI	ABDOMINALS	
9.30	E2		...RNING		FAT BURNING		
	PS		...30	AIGUA CTC			
	SC			CYCLING	CYCLING	CYCLING	
20.00	PS				AIGUAGIM		
	SC	CYCLING	CYCLING				

PROGRAMA DE ACTIVIDADES DUET SPORTS

SCHEDULE OF ACTIVITIES CENTRO 02 WELLNESS

Horario	Sala					
7:30h.- 08:25h.	SALA1		BODY PUMP		BODY PUMP	
7:30h.- 08:15h.	SALA C.I.	CICLISMO INDOOR		CICLISMO INDOOR		CICLISMO INDOOR
9:00h.- 09:55h.	SALA1	AEROBIC INICIACIÓN	TAI CHI	STEP INICIACIÓN	TAI CHI	STEP INICIA...N
9:00h.- 09:55h.	SALA3		MAT PILATES		MAT PILATES	
9:30h.- 10:25h.	SALA3	YOGA				
9:30h.- 10:15h.	SALA C.I.		CICLISMO INDOOR		CICLISMO INDOOR	
0:00h.- 10:45h.	SALA C.I.			CICLISMO INDOOR		
0:00h.- 10:25h.	SALA1	G.A.P. 1/2				G.A.P. 1/
0:00h.- 10:55h.	SALA1				YOGA	
0:00h.- 10:25h.	SALA3		G.A.P. 1/2		G.A.P. 1/2	
0:00h.- 10:45h.	PISCINA	AQUA GYM	AQUA FITNESS	AQUA GYM	AQUA FITNESS	AQUA GY...
0:30h.- 11:25h.	SALA1			CARDIO BOX		
0:30h.- 10:55h.	SALA1		ESTIRAMIENTOS 1/2			
0:30h.- 11:25h.	SALA3				GIMNASIA SUAVE	
0:30h.- 11:15h.	SALA C.I.	CICLISMO INDOOR	CICLISMO INDOOR			CICLISMO IN...OR
1:00h.- 11:55h.	SALA1				BODY PUMP	
1:00h.- 11:55h.	SALA3	GIMNASIA SUAVE	GIMNASIA SUAVE			GIMNASIA S...E
1:30h.- 12:25h.	SALA3			GIMNASIA SUAVE		
2:00h.- 12:55h.	SALA1	YOGA	BODY PUMP		YOGA	
2:00h.- 12:25h.	SALA3	ABDOMINALES 1/2				
2:00h.- 12:45h.	PISCINA		AQUA GYM		AQUA GYM	
2:30h.- 13:25h.	SALA1			MAT PILATES		
2:30h.- 13:25h.	SALA3	FIT BOX				
4:30h.- 15:25h.	SALA1		BODY PUMP		BODY PUMP	
4:30h.- 15:15h.	SALA C.I.	CICLISMO INDOOR		CICLISMO INDOOR		
7:00h.- 17:55h.	SALA1	BODY PUMP	MAT PILATES	BODY PUMP		
7:00h.- 17:55h.	SALA3	GIMNASIA SUAVE	COND. FÍSICO	GIMNASIA SUAVE	MAT PILATES	GIMNASIA S...E
7:30h.- 18:25h.	SALA1				COND. FÍSICO	
8:00h.- 18:25h.	SALA1		G.A.P. 1/2			
8:00h.- 18:25h.	SALA2				G.A.P. 1/2	
8:00h.- 18:55h.	SALA1	AEROBIC INICIACIÓN				AERO SAL...
8:00h.- 18:55h.	SALA3	YOGA	TAI CHI	MAT PILATES	TAI CHI	
8:30h.- 19:25h.	SALA1		BODY PUMP		BODY PUMP	
8:30h.- 18:55h.	SALA3					ABDOMINALE...1/2
8:30h.- 18:55h.	SALA1			ABDOMINALES 1/2		
8:30h.- 19:15h.	SALA C.I.	CICLISMO INDOOR		CICLISMO INDOOR		CICLISMO IN...OR
9:00h.- 19:25h.	SALA2			G.A.P. 1/2		
9:00h.- 19:55h.	SALA3	COND. FÍSICO		FIT BOX	YOGA	
9:15h.- 20:10h.	SALA1	BODY PUMP		BODY PUMP		BODY PUM...
9:30h.- 19:55h.	SALA1		G.A.P. 1/2			
9:30h.- 20:25h.	SALA1				DANZA DEL VIENTRE	
9:30h.- 20:25h.	SALA3		STEP			
9:30h.- 19:55h.	SALA2	ABDOMINALES 1/2				
9:30h.- 20:15h.	SALA C.I.		CICLISMO INDOOR		CICLISMO INDOOR	
0:00h.- 20:55h.	SALA3	FIT BOX		DANZA DEL VIENTRE	LATINO	COND. FÍS...
0:15h.- 21:10h.	SALA1	YOGA		AERO SALSA		
0:30h.- 21:15h.	PISCINA	AQUAFITNESS	AQUAFITNESS	AQUAFITNESS	AQUAFITNESS	AQUAFITN...
0:30h.- 21:25h.	SALA1					
0:30h.- 20:55h.	SALA3		ABDOMINALES 1/2			
0:30h.- 21:15h.	SALA C.I.	CICLISMO INDOOR	CICLISMO INDOOR			...IN...OR
1:00h.- 21:45h.	SALA C.I.			CICLISMO INDOOR		
1:00h.- 21:55h.	SALA3				STEP	
1:15h.- 22:10h.	SALA3	STEP	FIT BOX			
1:30h.- 22:25h.	SALA1	MAT PILATES	BODY PUMP	BODY PUMP	YOGA	

PROGRAMA DE ACTIVIDADES CENTRO O2 WELLNESS

SCHEDULE OF ACTIVITIES CENTRO O2 WELLNESS

ASISTENCIA SEMANAL EN LOS CENTROS DEPORTIVOS
WEEKLY ATTENDANCE AT THE SPORT CENTRES

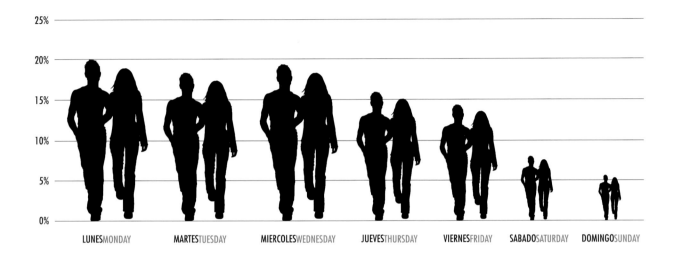

LUNESMONDAY	MARTESTUESDAY	MIERCOLESWEDNESDAY	JUEVESTHURSDAY	VIERNESFRIDAY	SABADOSATURDAY	DOMINGOSUNDAY

SOCIOS DE LOS CLUBS DEPORTIVOS POR SEXO
CLUB MEMBERS BY GENDER

MUJERES WOMEN (54%)   HOMBRES MEN (46%)

MOTIVACIONES PARA REALIZAR EJERCICIO EN NUESTROS CENTROS
MOTIVES FOR EXERCISING AT OUR CENTRES

PARA CUIDARSE	27,1%	TO TAKE CARE OF THEMSELVES
LE GUSTA	23,6%	BECAUSE THEY ENJOY IT
POR CUESTIONES DE SALUD	18,6%	FOR HEALTH REASONS
SATISFACCIÓN PERSONAL	10%	PERSONAL SATISFACTION
DESCONEXIÓN/RELAJACIÓN	9,1%	TO DISCONNECT/RELAX
DIVERSIÓN/ENTRETENIMIENTO	8%	FOR FUN
PARA HACER ALGÚN EJERCICIO/DEPORTE	7,1%	TO STRENGTHEN THE BODY/MUSCLES
FORTALECER EL CUERPO/MUSCULOS	3,8%	TO STRENGTHEN THE MUSCLES
COMPETICIÓN/COMPETITIVIDAD	3,2%	COMPETITION/COMPETITIVENESS
PARA ADELGAZAR/PERDER PESO	3,2%	TO SLIM DOWN/LOSE WEIGHT
OTROS MOTIVOS	12,7%	OTHER REASONS
NS/NC	4,4%	DON'T KNOW/DIDN'T ANSWER

USUARIOS DE LOS CENTROS DEPORTIVOS POR EDADES
SPORT CENTRE USERS BY AGE

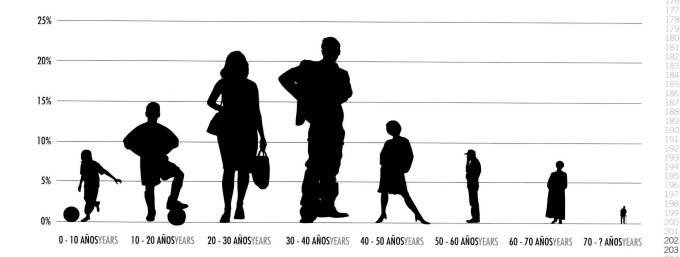

25%
20%
15%
10%
5%
0%

0 - 10 AÑOSYEARS 10 - 20 AÑOSYEARS 20 - 30 AÑOSYEARS 30 - 40 AÑOSYEARS 40 - 50 AÑOSYEARS 50 - 60 AÑOSYEARS 60 - 70 AÑOSYEARS 70 - ? AÑOSYEARS

FRANJA HORARIA EN QUE SE PRACTICA EL DEPORTE
TIME OF DAT IN WHICH SPORT IS PRACTICED

ANTES DE LAS 9 h.	14,2%	BEFORE 9 AM
ENTRE LAS 9 h. Y LAS 12 h.	36,3%	BETWEEN 9 AM AND 12 PM
ENTRE LAS 12 h. Y LAS 14 h.	11,8%	BETWEEN 12 PM AND 2 PM
ENTRE LAS 16 h. Y LAS 20 h.	35,8%	BETWEEN 4 PM AND 8 PM
ENTRE LAS 20 h. Y LAS 22 h.	26,8%	BETWEEN 8 PM AND 10 PM
DESPÚES DE LAS 22 h.	2,8%	AFTER 10 PM

2
ACTIVITAT AQUÁTICA
PER NADONS

2
FRUTOTERAPIA

2
ENTRENADOR PERSONAL

2
FOTODEPILACIÓN

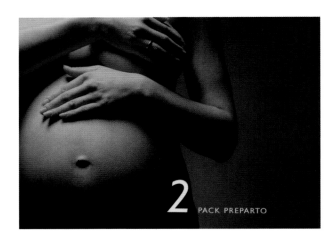

2
PACK PREPARTO

2
PACK BIENESTAR

2

OXIGENOTERAPIA
Un aire nuevo en tu vida

2

THERMAFINE
LIFTING COSMÉTICO

2

MULTIPLICA POR 2
TUS BENEFICIOS

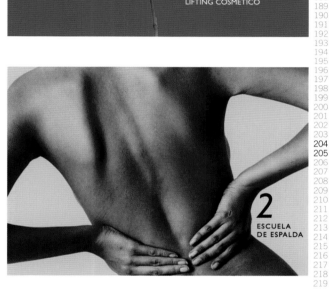

2

ESCUELA
DE ESPALDA

2

PROGRAMA DE
BRONCEADO WELLNESS

2

OBERT A TOTS

LOS CIRCUITOS DE CIRCULACIÓN

Aún hoy en día, entro en determinados Clubs, que continua y permanentemente intentamos visitar para observar el desarrollo y avances de otros Centros, y todavía podemos sorprendernos ingratamente con algunos en los que no se han tenido en cuenta los circuitos de utilización, y puedes atravesar impunemente áreas húmedas con pies secos, o viceversa lo que es todavía peor.

Ya no es un problema de higiene física únicamente, es un problema de higiene mental vinculada. ¿Nunca te has encontrado apreciado lector, con tan impactante encuentro?

El estudio y resolución de los circuitos de circulación del usuario, es vital para evitar el chapoteo allí donde no procede ni conviene. Observaremos seguidamente algunas plantas de diversos Clubs, para entender con diagramas, el cómo y por dónde dirigiremos nuestro caminar, y sus alternativas.

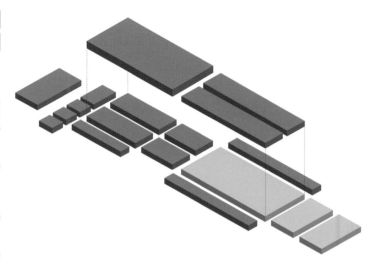

● PIES SECOS
🐾 PIES HÚMEDOS

THE FLOW OF MOVEMENT

We constantly try to visit other Clubs in order to keep up on the development and advances being made in other Centres, and even today we are unpleasantly surprised to find that some of them haven't taken into account the flow of human traffic within them, and you can cross wet areas with dry feet, or vice versa, which is even worse.

It is not only a problem of physical hygiene, there is also the linked problem of mental hygiene. Have you also encountered such issues, dear reader?

The study and resolution of the flow of user movement is essential for avoiding splashing where it is inappropriate and undesired. Here we will show some ground plans of various Clubs in order to understand, through diagrams, the path our steps should take.

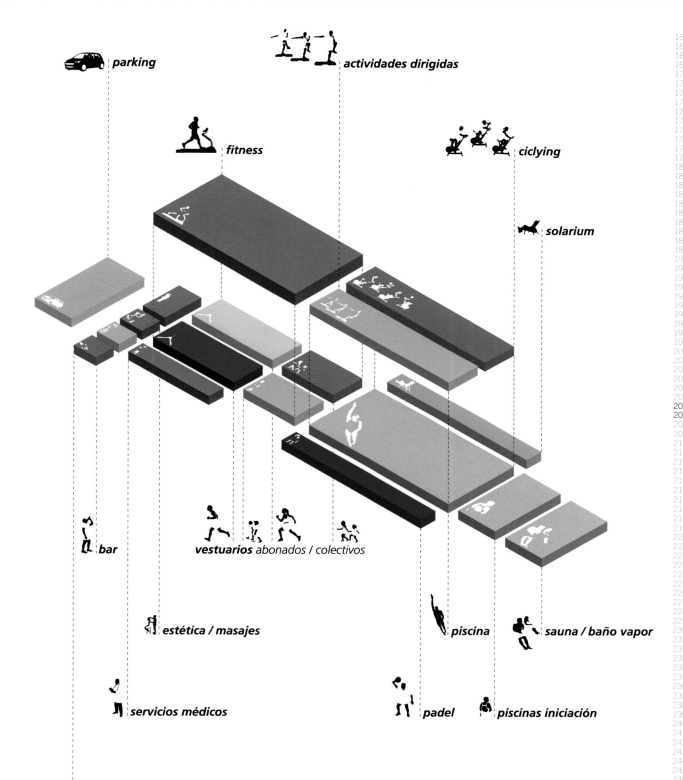

parking

actividades dirigidas

fitness

ciclying

solarium

bar

vestuarios *abonados / colectivos*

estética / masajes

piscina

sauna / baño vapor

servicios médicos

padel

piscinas iniciación

guardería

166
167
168
169
170
171
172
173
174
175
176
177
178
179
180
181
182
183
184
185
186
187
188
189
190
191
192
193
194
195
196
197
198
199
200
201
202
203
204
205
206
207
208
209
210
211
212
213
214
215
216
217
218
219
220
221
222
223
224
225
226
227
228
229
230
231
232
233
234
235
236
237
238
239
240
241
242
243
244
245
246
247
248

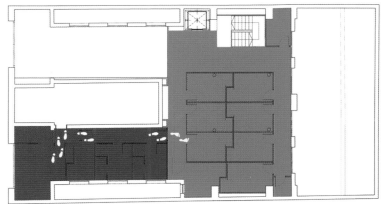

PLANTA ENTRESUELO

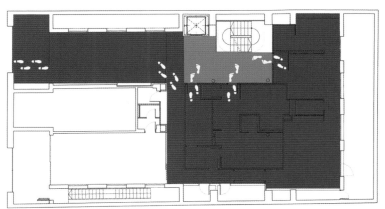

PLANTA BAJA

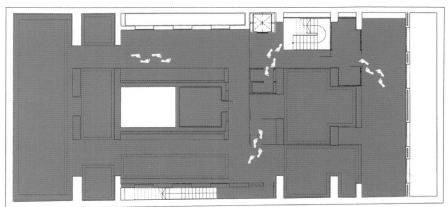

PLANTA SÓTANO

 ZONA HABILITADA PARA PIES CALZADOS  ZONA HABILITADA PARA PIES DESCALZOS

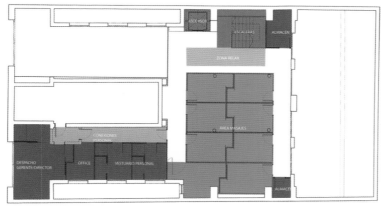

PLANTA ENTRESUELO

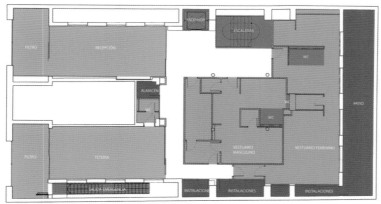

PLANTA BAJA

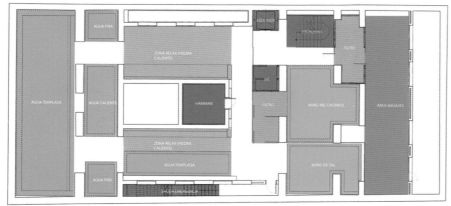

PLANTA SÓTANO

SERVICIOS INTERNOS   CONEXIONES   EMERGENCIA

SERVICIOS USUARIOS   ZONA AGUAS \ RELAX

166
167
168
169
170
171
172
173
174
175
176
177
178
179
180
181
182
183
184
185
186
187
188
189
190
191
192
193
194
195
196
197
198
199
200
201
202
203
204
205
206
207
208
209
210
211
212
213
214
215
216
217
218
219
220
221
222
223
224
225
226
227
228
229
230
231
232
233
234
235
236
237
238
239
240
241
242
243
244
245
246
247
248

LA ACTIVIDAD FISICA Y LA SALUD COMO COMPLEMENTO A OTRAS ACTIVIDADES PRINCIPALES

PHYSICAL ACTIVITY AND HEALTH AS A COMPLEMENT TO OTHER MAIN ACTIVITIES

La multiplicidad y variedad de las ofertas de ocio, deporte y salud, está provocando la aparición de Centros para tal uso, planteados como complemento a otra actividad, llamémosla principal.

Quien no ha visitado en los últimos años, algún hotel, donde el balneario, el fitness o el deporte en múltiples variantes, se convierten en ideal complemento, y tal vez incluso en el reclamo principal.

Observaremos seguidamente ejemplos variados y diversos, donde esto sucede en cuanto al hotel/balneario (Hotel Axioma en Sant Cugat del Vallés) Hotel en el Paseo de Gracia, Hotel/Centro deportivo (Hesperia Tower en L'Hospitalet con Metropolitan Gran Vía), Colegio Internacional/Piscinas infantiles y Club Deportivo para familia (Colegio Internacional Europa en Sant Cugat del Vallés) o Centro Medico/Club Deportivo (Centro Internacional de Medicina Avanzada C.I.M.A/O2 Centro Wellness, en Barcelona).

The wide variety of leisure, sport and health offerings is bringing about the appearance of Centres for such use designed to complement another activity, usually considered the main one.

Who among us hasn't visited a hotel in recent years where the spa, or sport and fitness centre in one of its many guises, had become the perfect complement, or even perhaps the main draw.

Here we show various different examples where this is this case for a hotel/spa (Hotel Axioma in Sant Cugat del Vallés), a hotel on the Paseo de Gracia, a hotel/sport centre (Hesperia Tower in L'Hospitalet with Metropolitan Gran Vía), an international school/children's swimming facilities and sport club for families (Colegio Internacional Europa in Sant Cugat del Vallés) and a medical centre/sport club (Centro International de Medicina Avanzada C.I.M.A./O2 Centro Wellness, in Barcelona).

SECCIÓN DEL HOTEL AXIOMA

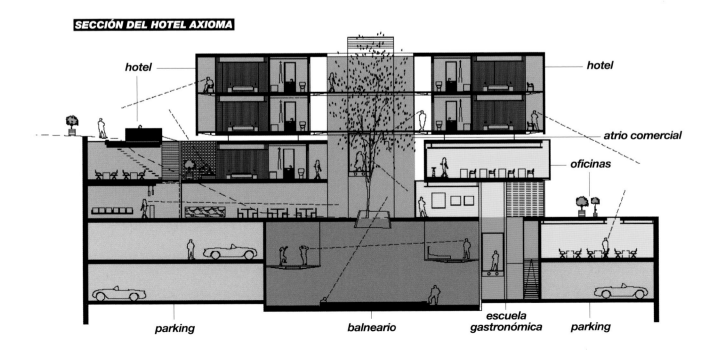

hotel · hotel · atrio comercial · oficinas · parking · balneario · escuela gastronómica · parking

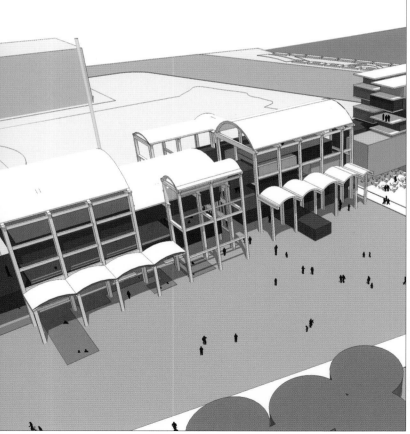
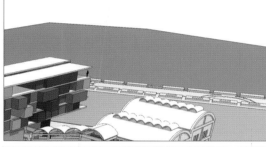

166
167
168
169
170
171
172
173
174
175
176
177
178
179
180
181
182
183
184
185
186
187
188
189
190
191
192
193
194
195
196
197
198
199
200
201
202
203
204
205
206
207
208
209
210
211
212
213
214
215
216
217
218
219
220
221
222
223
224
225
226
227
228
229
230
231
232
233
234
235
236
237
238
239
240
241
242
243
244
245
246
247
248

166
167
168
169
170
171
172
173
174
175
176
177
178
179
180
181
182
183
184
185
186
187
188
189
190
191
192
193
194
195
196
197
198
199
200
201
202
203
204
205
206
207
208
209
210
211
212
213
214
215
216
217
218
219
220
221
222
223
224
225
226
227
228
229
230
231
232
233
234
235
236
237
238
239
240
241
242
243
244
245
246
247
248

LA COMPONENTE SOCIAL DE LOS CENTROS

Siempre me han impactado y seducido, los famosos, exportados y exportables, Pubs Ingleses, por su polivalencia de uso, de condición social del usuario, así como de edad de sus clientes. Todo el mundo tiene cabida allí. Cuando visito Londres, y en especial el despacho de nuestro socio y amigo, el prestigioso Arquitecto italo/británico Richard Rogers, en Hammersmith, no puedo dejar de tomar una caña de cerveza

(caliente of course) en el Pub típico y tópico cercano.

La mezcla de usuarios, de ambientes, de concepto en función del día de la semana, y de la hora del día, me seducen y provocan en mi una sensación de encontrarme allí realmente a gusto. No puedo prescindir de su visita antes o después del trabajo, y siempre en la excelente compañía de amigos y profesionales.

El Pub Inglés desarrolla una función importantísima de relación social en el barrio donde se ubica, es un auténtico elemento de cohesión y potenciación ciudadana. Hablo en términos generales y conceptuales, sin pormenorizar en aspectos marginales de los consabidos excesos alcohólicos, insisto marginales.

Se convierten, pues, en auténticos Centros Cívicos, donde el dialogo, la conversación y la cultura y vida ciudadanas desarrollan su máxima y digna expresión.

Durante años, nuestras ciudades mediterráneas han desarrollado así mismo su propio modelo de lugar de intercambio ciudadano, los casinos del pueblo, o del barrio, los bares donde se celebra la tertulia o la partida de dominó, o de tute o de butifarra, o incluso los Centros Cívicos promovidos por los propios Ayuntamientos, albergan y cobijan esa efervescencia ciudadana de intercambio humano, en el mejor sentido de la palabra.

Y, ¿Porque introduzco aquí el concepto del Pub Inglés o del casino del pueblo, en un libro que habla y pormenoriza los Centros de deporte y salud?

Creo que comienzas a atar cabos, amigo lector que hasta aquí has llegado y por lo tanto me veo con la capacidad moral de llamarte amigo. Efectivamente, los Centros Deportivos se están convirtiendo, de forma lenta pero constante, en los nuevos Centros Cívicos, en los nuevos Centros Sociales de encuentro y vida ciudadana, en las nuevas referencias de intercambio social. La multiplicidad de disciplina a poder desarrollar, la multiplicidad de horarios, la multiplicidad de edades de usuarios están provocando, han provocado ya, la conversión de tales espacios en las nuevas referencias

166
167
168
169
170
171
172
173
174
175
176
177
178
179
180
181
182
183
184
185
186
187
188
189
190
191
192
193
194
195
196
197
198
199
200
201
202
203
204
205
206
207
208
209
210
211
212
213
214
215
216
217
218
219
220
221
222
223
224
225
226
227
228
229
230
231
232
233
234
235
236
237
238
239
240
241
242
243
244
245
246
247
248

de encuentro e intercambio social: la madre que acompaña a sus hijos, y mientras hacen sus actividades de natación se ejercita en el fitness con sus amigos, jóvenes que se sienten atraídos por la actividad física y por el encuentro, más que posible, con el sexo opuesto, los amigos profesionales que aprovechan el mínimo resquicio en su agenda para quedar en la clase de spinning, los abuelos que acuden con sus nietos y se encuentran con sus amigos en la clase de aquagym…interminables combinaciones de interminables elementos tomados de interminables modos.

Bienvenida sea nuestra reinterpretación y actualización del concepto Pub Inglés, fusionado con el concepto de Club Deportivo, fusionado con el concepto de salud como forma de vida, todo ello aderezado por una gestión deportiva y comercial óptima y acompañado por una Arquitectura a la altura de las circunstancias.

Esto no ha hecho más que comenzar…

THE SOCIAL COMPONENT OF THE CENTRES

I've always been seduced and impressed by the famous British Pubs, so exportable and so exported, for their versatility in terms of use, as well as the wide range of their clients' social conditions and ages. There is a place for everyone there. When I visit London, particularly the Hammersmith office of our partner and friend, the prestigious British/Italian Architect Richard Rogers, I can't resist having a pint (warm, of course) at the typical, even clichéd, local Pub.

The mix of users, atmospheres, and concept depending on the day of the week or the time of day, draws me in and makes me feel truly at home there. I always stop in before or after work, and always in the good company of friends and professionals.

The British Pub has a highly important social function within the neighbourhood where it is located; it serves as a strengthening cohesive element for city life. I am speaking in general conceptual terms, without going into detail on minor aspects such as overindulgence in drink, which truly is a minor aspect.

They become real Civic Centres, where dialogue, conversation and urban life and culture develop their highest expression.

For years, our Mediterranean cities developed their own model of a site for interaction among residents: the town or neighbourhood *casinos*, bars that function as social clubs for gatherings or a game of domino or cards; and even the Civic Centres created by the City Halls themselves. These places house and harbour the exuberance of human interaction, in the best sense of the word.

Why do I bring up the concept of the British Pub or the town *casino* here, in a book that speaks at length on health and sport Centres? I believe, dear reader, that having read thus far you are beginning to make the connection, which is why I feel that I can call you dear. Indeed, Sport Centres are becoming, slowly but surely, the new Civic Centres, the new Social Centres for meeting and community life, the new reference points for social interaction. The fact that they are so multidisciplinary, with such a wide range of schedules and users

of all ages is provoking and has provoked the conversion of these spaces into the new points of meeting and social exchange: the mother who works out in the fitness room with her friends while her children swim; young people drawn by physical activity and by the highly likely possibility of meeting other young people of the opposite sex; professional friends who take advantage of the slightest break in their schedules to get together in a spinning class; the elderly who come with their grandchildren and meet up with friends in the aquagym class… infinite combinations of infinite elements applied in infinite ways.

This is a welcome reinterpretation and updating of the concept of the British Pub, merged with the concept of the Sport Club, merged with the concept of health as a way of life, and topped off by the finest commercial and sport management and housed within an Architecture worthy of such a task.

This is merely the beginning…

166
167
168
169
170
171
172
173
174
175
176
177
178
179
180
181
182
183
184
185
186
187
188
189
190
191
192
193
194
195
196
197
198
199
200
201
202
203
204
205
206
207
208
209
210
211
212
213
214
215
216
217
218
219
220
221
222
223
224
225
226
227
228
229
230
231
232
233
234
235
236
237
238
239
240
241
242
243
244
245
246
247
248

166
167
168
169
170
171
172
173
174
175
176
177
178
179
180
181
182
183
184
185
186
187
188
189
190
191
192
193
194
195
196
197
198
199
200
201
202
203
204
205
206
207
208
209
210
211
212
213
214
215
216
217
218
219
220
221
222
223
224
225
226
227
228
229
230
231
232
233
234
235
236
237
238
239
240
241
242
243
244
245
246
247
248

LA REUTILIZACIÓN DEL SUBSUELO URBANO

La imaginación es una (por no decir la única) energía inagotable que tenemos los humanos de por vida. Y el uso indiscriminado, a granel, de tal recurso puede comportar soluciones tan hábiles como sorprendentes y sorpresivas. Veamos seguidamente tres ejemplos, ejemplarizantes (valga la redundancia) para su visualización.

Club Európolis Serdenya. Un histórico prestigioso y prestigiado, club de fútbol, muchos años militando en 2ª división. Dispuso de un nuevo Estadio, en la misma ubicación original de la calle Serdenya de Barcelona, y su subsuelo es utilizado para aparcamiento subterráneo y centro deportivo de 6.000 m2. Grandes jácenas transversales posibilitan y habilitan tan impresionante espacio. Pero lo mejor está por venir: la pendiente de las gradas de espectadores origina la aparición de lucernarios bajo ellas, con acceso de iluminación natural a tal espacio. Un complejo con más de 7.000 abonados que disfrutan de unas instalaciones difíciles de imaginar "a priori".

Club Európólis Les Corts: Una antigua piscina ubicada en los antiguos terrenos del Estadio de FC Barcelona de Les Corts, en la Ciudad Condal, ha dado paso a una instalación de 8.000 m2. Con un número de más de 8.000 abonados, ubicada toda ella en el subsuelo, para así liberar de edificación el solar en cuestión, y dar paso a sendas pistas polideportivas de uso para el barrio, en superficie. Pero nuevamente toda la instalación aparece "bañada" de luz natural, pues el Proyecto planteó una fisura perimetral, a modo de "patio inglés" que circunda, envuelve y rodea a la edificación, permeabilizándola a la iluminación solar.

Duet Sports Fondo en Santa Coloma de Gramenet: una ciudad absolutamente falta de espacios libres, con una densidad edificativa altísima, cuyo gobierno municipal, liderado por Bartomeu Muñoz, ha sabido rediseñar a base de imaginación y diseño. La Rambla denominada del Fondo, da pie a un equipamiento ciudadano en el que se sobreponen diversas capas funcionales que dotan a la ciudad de un servicio y equipamiento público de una gran promiscuidad funcional: Plaza Pública en superficie, Galería Comercial, Centro Deportivo Duet y aparcamiento. Y allí nuevamente la luz natural invade el espacio, dotándolo de una atmósfera de características especiales no asimilables a unas plantas sótanos convencionales.

Todo lo expuesto confirma y corrobora la bondad de unas propuestas que ayudan a configurar la ciudad, a crear los necesarios equipamientos que la ciudad precisa, sin necesidad de invadir visualmente la superficie.

THE REUSE OF URBAN UNDERGROUND SPACE

Imagination is an (if not the only) inexhaustible energy that we as humans have throughout the course of our lives. And the indiscriminate parcelling out of this resource can bring about solutions that are as skilful as they are surprising and unexpected. Here we will give three exemplary examples (redundancy intended) for your viewing.

Club Európolis Serdenya: A prestigious and historic football club, which has spent many years battling it out in the 2nd division. Their new Stadium, at the original location on Sedenya Street in Barcelona, uses the space below it as an underground parking lot and a 6,000 m2 sport centre. Large transversal girders make such an impressive space possible. But the best is yet to come: the slope of the spectators' stands gives rise to rooflights below them, giving natural lighting to the space. A complex with more than 7,000 members who enjoy facilities that are difficult to imagine "a priori."

Club Európolis Les Corts: An old swimming pool located in the old fields of the FC Barcelona Stadium in Les Corts, in the Catalan capital, has become an 8,000 m2 facility with more than 8,000 members, situated entirely underground in order`to keep the site in question free of buildings and leave room on the surface for multi-sport tracks for neighbourhood use. But once again the entire facility appears to be "bathed" in natural light, due to the project's design which incorporates a gap around the perimeter creating a sort of "indoor courtyard" that surrounds and encircles the facility, permeating it with sunlight.

Duet Sports Fondo in Santa Coloma de Gramenet: a city which completely lacks open spaces, with a very high density of buildings, whose municipal government, led by Bartomeu Muñoz, has been able to remodel using design and imagination. The Rambla del Fondo boulevard now has a public facility that offers the city numerous functions: a Public Square above ground, a Shopping Centre, a Duet Sports Centre and parking.

And here again natural light pervades the space, giving it a special atmosphere unlike conventional basement levels.

This all confirms and corroborates the good intentions of such proposals, which help to reconfigure cities and create the facilities they need without visually invading the surface.

166
167
168
169
170
171
172
173
174
175
176
177
178
179
180
181
182
183
184
185
186
187
188
189
190
191
192
193
194
195
196
197
198
199
200
201
202
203
204
205
206
207
208
209
210
211
212
213
214
215
216
217
218
219
220
221
222
223
224
225
226
227
228
229
230
231
232
233
234
235
236
237
238
239
240
241
242
243
244
245
246
247
248

PLAZA FONDO. SANTA COLOMA DE GRAMENET (VISTAS DE LA PLAZA SOBRE EL CENTRO DEPORTIVO)

EUROPOLIS SARDENYA

BALTHUS CHILE

PLAZA FONDO. SANTA COLOMA DE GRAMENET

LA CONCESIÓN ADMINISTRATIVA: UNA FÓRMULA DE FUTURO CONSOLIDADA. DUET SPORTS COMO EJEMPLO Y REFERENCIA

Siempre he creído en la fuerza del trabajo en equipo, la suma de todos y cada uno de los "jugadores" aporta creatividad, experiencia y soluciones, para conseguir alcanzar los mejores resultados.

Por este motivo hemos demostrado ya, que la fórmula de trabajar en equipo en la Concesión Administrativa és y será una buena fórmula de futuro.

La perfecta combinación de formar un equipo entre la Administración Pública y la empresa privada especializada ha dado suficientes éxitos, como para pensar que las instalaciones deportivas del futuro deben sustentarse bajo la fórmula jurídica de la concesión administrativa de obra y explotación del servicio.

Los objetivos establecidos entre los dos actores que intervienen en la concesión deben ser iguales. Lo importante es encontrar el equilibrio en la ordenación y la priorización de los mismos, para que la misión resultante sea la de siempre, mantener constantemente la satisfacción de los clientes/as i/o ciudadanos/as.

Todo proceso se inicia con la determinación de una necesidad de una demanda no satisfecha, a partir de ella se requiere aportar soluciones para dotar un determinado territorio con un nuevo servicio de deporte y salud para todos. A partir de la necesidad surge la posibilidad de buscar el mejor equipo posible. La empresa especializada aporta grandes beneficios y soluciones que hoy por hoy la administración no puede mejorar.

La empresa privada especializada tiene una gran capacidad de adaptación y flexibilidad, que garantiza una oferta de programas de deporte y salud de última generación adaptable a la cambiante demanda, que hoy responde a impulsos marcados por modas y nuevas tendencias.

Además a la empresa especializada se le atribuyen también otras competencias y habilidades como:

• La capacidad de reacción y adaptación a los cambios, que facilita el poner en servicio los equipamientos necesarios para mantener las instalaciones en vanguardia.
• La polivalencia de los diferentes equipos profesionales y la flexibilidad de contratación.
• La posibilidad de incorporar nuevos servicios necesarios, para complementar la oferta principal.
• El mantenimiento y la renovación de instalaciones para mantener los centros operativos en todo momento.
• La capacidad de optimizar y reducir los costes de explotación.

La administración garantiza que todo el proceso este regulado y supervisado para que el usuario-cliente final pague un precio razonable y de mercado, por un servicio de calidad, en unas instalaciones deportivas inimaginables hasta ahora.

Para encontrarle un buen socio a la Administración hacia falta crear una empresa que pudiera dar soluciones integrales para no dejar fuera ningún elemento del complejo proceso para la creación de un nuevo centro deportivo, por eso fundamos Duet Sports.

Nadie hasta hoy ha pensado en la posibilidad de formar un nuevo concepto de empresa con la finalidad de promover y explotar centros deportivos que aglutine a todas las empresas que son imprescindibles para desarrollar un proyecto deportivo.

La creación de Duet Sports aporta la solución definitiva a largo plazo con un único interlocutor para todo el proyecto deportivo impulsado desde el municipio. Una vez definidas las necesidades del equipamiento, el equipo de empresas del grupo Duet Sports se pone a trabajar coordinadamente, para realizar el proyecto arquitectónico (ALONSO, BALAGUER Y

ARQUITECTOS ASOCIADOS), que además de su funcionalidad, operatividad y simplicidad, dignifica el espacio público integrándolo en el paisaje urbano.

El anteproyecto dará lugar a un proyecto ejecutivo que será contrastado y mejorado por las empresas del grupo (PROINOSA y TAU-ICESA) que construirán integralmente todo el complejo deportivo incorporando en el equipo a SURIS, empresa que asumiría la responsabilidad de instalar los equipos de producción de calor, las conducciones y máquinas de clima, así como el sofisticado sistema hidráulico.

Duet Sports ha desarrollado un modelo de gestión de calidad certificado por APPLUS, bajo la norma ISO 9001/2000, que consolida y ratifica la vocación de servicio y de mejora continua en las que se estructura su filosofía. Todo el proceso ensamblado por un gran equipo de profesionales de Duet Sports avalado por la solvencia técnica de las empresas GRUPO SEGURA LAHOSA TRUÑÓ Y SANDRIGHAM, con muchos años de experiencia dirigiendo equipamientos deportivos y asesorando y organizando diferentes corporaciones.

Duet Sports complementa su oferta para trabajar con la administración buscando soluciones financieras que permitan afrontar proyectos viables y rentables desde las ópticas social, deportiva y económica.

Son muchos, los municipios que se están avanzando a los nuevos tiempos, para los que se augura una gran proliferación de proyectos bajo la fórmula de futuro de la concesión administrativa de obra pública, que incluya la promoción del proyecto, la construcción y la posterior gestión y explotación de centros deportivos bajo titularidad pública.

Duet Sports hace una gran apuesta de futuro invirtiendo en un equipo de profesionales capaz de desarrollar nuevos retos, desde el compromiso de trabajar conjuntamente con las administraciones locales. El objetivo común es lograr que nuestros clientes puedan "respirar salud" en nuevos equipamientos que ofrezcan un servicio de deporte y salud para toda la familia, en un ambiente muy agradable y confortable, fomentando valores y hábitos saludables, y convirtiendo el complejo deportivo en un nuevo punto de encuentro de la vida social de los municipios.

Héctor Cruz
Director General de Duet Sports

GOVERNMENT FRANCHISE: A FORMULA WITH A PROVEN FUTURE.
DUET SPORTS AS AN EXAMPLE AND POINT OF REFERENCE

I have always believed in the power of teamwork, the sum of each and every one of the "players" contributing creativity, experience and solutions in order to achieve the best results.

This is the reason why, as we have already shown, the teamwork formula inherent in the Government Franchise is and will continue to be a good formula for the future.

The perfect combination of a team that includes both the Public Administration and specialised private industry has proven successful enough for one to think that the sport facilities of the future should be supported by government-franchised construction and operation.

The established objectives between the two parties in the franchise should be equal. It is important to find a balance in the organisation and prioritisation of these objectives, so that the final aim is, as always, constantly maintaining clients and the general public satisfied.

The process begins with the identification of an unfulfilled need. Once identified, solutions must be offered as to how to provide a determined area with a new sport and health service for everyone. Out of this need arises the possibility of finding the best possible team. Specialised companies supply great benefits and solutions, which at this moment in time are unbeatable. Private specialised companies are capable of a large degree of flexibility and adaptation, which guarantees an offering of the latest in health and sport programs that are adaptable to the changing demands that, in today's world, are often marked by new trends and shifting fashions.

In addition, the specialised company also offers other skills and abilities, such as:

• The ability to respond and adapt to changes, which facilitates putting into use the necessary equipment in order to maintain cutting-edge facilities.
• The versatility of the different professional teams and flexibility in terms of hiring.
• The possibility of incorporating new services when needed to complement the main offering.
• The maintenance and updating of facilities in order to keep the centres operational at all times.
• The ability to optimise and reduce operating costs.

The public administration guarantees that the entire process is regulated and supervised so that the final user/client pays a reasonable market price for high-quality service in sport facilities that were inconceivable before now.

In order to find a good partner, the Administration had to create a company that could offer comprehensive solutions in order to ensure that all elements of the complex process of the creation of a new sport centre were taken care of, which is why we established Duet Sports.

Up until that point no one had thought of the possibility of creating a new concept of company with the goal of promoting and operating sport centres, one that brings together all the companies that are essential for the development of a sport project.

The creation of Duet Sports provides the definitive long-term solution with one single representative for an entire sport project promoted by the municipal government. Once the facilities' requirements are defined, the team of companies within the Duet Sports group begins to work in coordination in order to carry out the architectural project (ALONSO, BALAGUER Y ARQUITECTOS ASOCIADOS), which in addition to its functionality, operational capacity and simplicity, dignifies the public space by integrating into the urban landscape.

The preliminary plan gives way to an executive project that is revised and improved by the companies in the group (PROINOSA and TAU-

ICESA) who will construct the entire sport complex, incorporating SURIS in the team, the company that assumes responsibility for installing the heating, piping and climate control, as well as the sophisticated hydraulic system.

Duet Sports has developed a model of quality management certified by APPLUS, under the standard ISO 9001/2000, which consolidates and ratifies the mission to service and constant improvement in which our philosophy is based. The entire process is put together by a great team of Duet Sport professionals guaranteed by the technical capability of the companies GRUPO SEGURA LAHOS TRUÑÓ and SANDRIGHAM, which have many years of experience in managing sport facilities and advising and organising different corporations.

Duet Sports complements what it offers when working with local governments by seeking out financial solutions that allow them to tackle projects that are viable and profitable from social and sport perspectives, as well as economic ones.

There are many city governments that are advancing with the times, for whom a great proliferation of projects using this modern formula of government-franchised public works will be available, including the promotion, construction and subsequent management and operating of sport centres under public title. Duet Sports makes a pledge to the future by investing in a group of professionals capable of developing new challenges who are committed to working along with local governments. The common goal to accomplish is to allow our clients to "breathe health" in new facilities that offer a sport and health service for the entire family, in a pleasant and comfortable atmosphere, promoting healthy values and habits, and turning the sporting complex into a new meeting point in the social fabric of cities.

Héctor Cruz
General Manager of Duet Sports

166
167
168
169
170
171
172
173
174
175
176
177
178
179
180
181
182
183
184
185
186
187
188
189
190
191
192
193
194
195
196
197
198
199
200
201
202
203
204
205
206
207
208
209
210
211
212
213
214
215
216
217
218
219
220
221
222
223
224
225
226
227
228
229
230
231
232
233
234
235
236
237
238
239
240
241
242
243
244
245
246
247
248

166
167
168
169
170
171
172
173
174
175
176
177
178
179
180
181
182
183
184
185
186
187
188
189
190
191
192
193
194
195
196
197
198
199
200
201
202
203
204
205
206
207
208
209
210
211
212
213
214
215
216
217
218
219
220
221
222
223
224
225
226
227
228
229
230
231
232
233
234
235
236
237
238
239
240
241
242
243
244
245
246
247
248

Cuando algún nuevo colaborador entra a formar parte del equipo de Alonso-Balaguer y Arquitectos Asociados, nos gusta transmitirle una frase que resume una filosofía de funcionamiento y de credenciales: "A cuidar los detalles, en general, la gente le suele llamar tener suerte". Y en Alonso-Balaguer y Arquitectos Asociados nos gusta, nos encanta tener suerte.

Es por ello que a veces incluso el detalle, se convierte en la esencia del proyecto mismo, se convierte prácticamente en el proyecto.

En cuantas y cuantas ocasiones, entramos en un edificio, en una vivienda, en un restaurante, en un espacio en definitiva, y no sabemos bien explicar el porqué pero nos encontramos a gusto. Ojo con el detalle, observa que a buen seguro hay allí un buen número de detalles estudiados para el éxito.

Hemos de mirar el detalle, mira y observa cómo lo tratamos en nuestros centros...y disfrútalo...casi, casi sin darte cuenta, de puntillas.

When a new collaborator joins the team of Alonso-Balaguer and Associated Architects, we like to pass on a phrase that sums up our philosophy of operations and our credentials: "Paying attention to detail, on the whole, is what people often call being lucky." And at Alonso-Balaguer and Associated Architects we just love being lucky.

Which is why sometimes the details can even become the essence of the project itself, practically becoming the project.

On so many occasions we enter a building, a home, a restaurant, in short, a space, and we can't put into words why, but we find ourselves comfortable and at ease. Keep an eye out for the details, there is certain to be a good number of considered details that ensure the success of the design.

We have to be on the lookout for details, observe and examine how details are used in our centres… and enjoy them… almost without realising it.

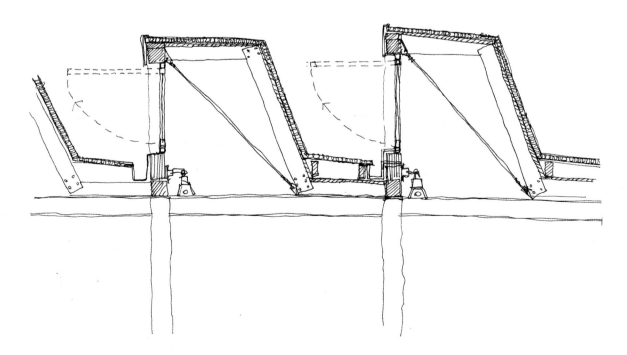

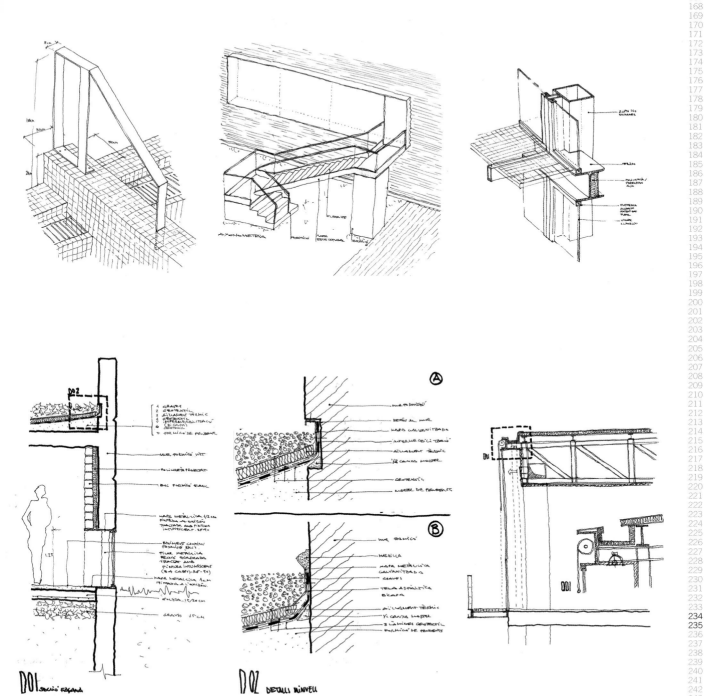

166
167
168
169
170
171
172
173
174
175
176
177
178
179
180
181
182
183
184
185
186
187
188
189
190
191
192
193
194
195
196
197
198
199
200
201
202
203
204
205
206
207
208
209
210
211
212
213
214
215
216
217
218
219
220
221
222
223
224
225
226
227
228
229
230
231
232
233
234
235
236
237
238
239
240
241
242
243
244
245
246
247
248

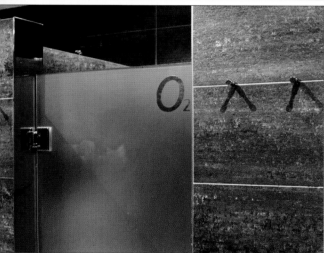

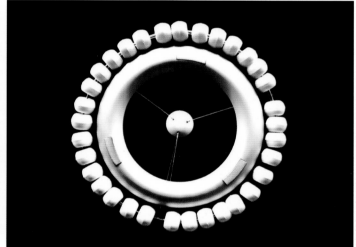

166
167
168
169
170
171
172
173
174
175
176
177
178
179
180
181
182
183
184
185
186
187
188
189
190
191
192
193
194
195
196
197
198
199
200
201
202
203
204
205
206
207
208
209
210
211
212
213
214
215
216
217
218
219
220
221
222
223
224
225
226
227
228
229
230
231
232
233
234
235
236
237
238
239
240
241
242
243
244
245
246
247
248

AGRADECIMIENTOS

Quisiéramos desde aquí, mostrar nuestro más sincero y profundo agradecimiento a todo ese sinfín de personas que nos han ayudado a tratar y confirmar esta extensa trayectoria profesional, en un sector para nosotros tan querido y apreciado.

En especial un agradecimiento a todo el Consejo de Administración de **Duet Sports**, por su decidida y valiente apuesta por la Arquitectura, por la introducción de nuevos y rompedores conceptos y por tanto su confianza en nuestras soluciones. Gracias pues a **Francesc Sibina** (TAU-ICESA) con quien una sola mirada nos hace entender lo que pensamos, son muchos años de amistad, entendimiento y sinergias compartidas, a **Pepe Singla** (PROINOSA) con quien nos une una química especial, a **Albert Segarra**, a **Paco Segura** y a **Silvio Elías**, todos ellos socios y sin embargo grandes amigos. Y como no, a nuestro Director General **Héctor Cruz**, con quien ya sus más de 12 años lidiando juntos con más de 20 Clubs a nuestras espaldas, con gran sintonía y apoyo mutuos. Un placer trabajar al lado de todos ellos. Son ya 15 centros construidos o en construcción para Duet Sports. Los más de 25.000 socios en los Clubs en la Cadena que fundamos hace tan pocos años avalan la bondad de la propuesta, tanto desde el punto de vista arquitectónico, como social y empresarial una clara referencia para el sector a nivel nacional.

Asimismo a **Fernando López** y a **Carlos Vázquez**, socios confundadores junto a nosotros, de la Compañía **O2 Centros Wellness**, con quienes lanzamos una empresa, hay seriamente aposentada en toda la geografía nacional con 14 Centros en funcionamiento, y más de 45.000 usuarios.

También a **José Antonio Castro**, propietario y fundador de la Cadena **Metropolitan**, que a finales de los 80 apostó por nuestras propuestas para iniciar lo que sería su exitosa Cadena Deportiva.

A **Pere Andrés**, de quien recibimos el difícil reto de intentar desarrollar dos Centros en el subsuelo barcelonés, y aparecieron, dos Clubs de increíble éxito social y económico como su **Európolis Cerdenya** y **Európolis Les Corts**.

A **Pep Viladot** y **Roque Sagnier**, de **Holmes Place** con quien compartimos múltiples ideas y conceptos del deporte y su futuro.

Incluso agradecer a **Alberto Carcas**, para quien desarrollamos **Arsenal de Pomaret y Arsenal Augusta**, en los años 80, nuestras dos primeras realizaciones pero a quien los celos profesionales le impidieron proseguir en nuestra relación profesional y personal. Sin embargo, gracias incluso también a él.

Gracias a tantos y tantos industriales, que nos han ayudado a desarrollar nuestras soluciones técnicas, investigando y profundizando en los detalles e "inventos", como **Rafael Fortaner** de Kristal, **Gregori Andreu** de Calvià, **Jose Javier Rubio** de Bio Salud, **Marta Sugrañes** de Rosa Gres...

Y por último, por aquello de que los últimos serán los de delante, a todo nuestro equipo técnico que desde ABAA desarrolla nuestros proyectos, auténticos especialistas en la materia, capitaneados por **Santi Castán**, con **Miguel Ángel Garcia**, **David Iglesias**, **Jordi Vidal**, **Irene Rodríguez**, así como al equipo de Concursos capitaneado por **Miquel Bargalló**, con **Natxo Alonso**, **Pau Balaguer**, **Andres Zapico**, **Natxo Solsona**, **Mikele Moragues**, **Roberto Paparcone**, **Renata de Mendonça** y **Albert Pérez**.

También a **María Molsosa**, directora del departamento de diseño gráfico, quien ha desarrollado una magnífica línea para todos nuestros centros Duet.

A todas aquellas personas, entidades e instituciones que nos han aportado material gráfico y documental para la elaboración de este libro, y en especial a D. **Juan Antonio Samaranch**, quien conocedor de nuestra obra deportiva nos gratificó con sus palabras de introducción en la presente obra.

Y como no, gracias a ti, lector, por haber tenido la inquietud y la sensibilidad de haber leído hasta aquí. ¡Mira que si te ha gustado y has disfrutado!!!

Luís Alonso
Sergio Balaguer
Arquitectos, confundadores de **Alonso, Balaguer y Arquitectos Asociados**, así como de Duet Sports y O2 Centros Wellness.

ACKNOWLEDGEMENTS

We would like to give our most sincere and deepest thanks to all those people that have helped us along our extensive professional trajectory, in a sector that we so love and appreciate.

We would particularly like to thank the entire Board of Directors of **Duet Sports**, for their decisive and brave support of Architecture, and their faith in our solutions. So thanks to **Francesc Sibina**, with whom we can communicate without a single word; to Pepe Singla, with whom we have special chemistry; to **Albert Segarra**; to Paco Segura and to Silvio Elías, all of whom are our partners and great friends all the same. And, of course, to General Manager Héctor Cruz, with whom we share now more than 10 years battling it out together and more than 20 Clubs behind us, all with great rapport and mutual support. It is a pleasure to work alongside you all. And we already have 14 centres built or in construction for Duet Sports.

Likewise thanks go to **Fernando López** and to **Carlos Vázquez**, our co-founding partners of the Compañía O2 Centros Wellness, with whom we launched a company that is now implanted in the national landscape with more than 15 functioning Centres, and more than 40,000 users.

Thanks also to **José Antonio Castro**, owner and founder of the **Metropolitan** chain, who in the late 80s took a chance on our proposals to begin what has become his successful sport chain.

And we would also like to thank **Pere Andrés**, who gave us the difficult challenge of attempting to develop two Centres beneath Barcelona, out of which came two incredibly socially and economically successful Clubs: the **Européolis Cerdenya** and the **Européolis Les Corts**.

To **Pep Viladot** and **Roque Sagnier**, from **Holmes Place**, with whom we share many ideas and views about sport and its future.

We would also like to thank **Alberto Carcas**, for whom we developed **Arsenal de Pomaret** and **Arsenal Augusta**, in the 1980s, our first two projects. Professional jealousy has kept us from continuing our personal and professional relationship. Nevertheless, we would like to thank even him.

Thanks to so many industrial contractors, who have helped us to develop our technical solutions, investigating and researching details and "inventions" in depth, such as **Rafael Fortaner** from Kristal, **Gregori Andreu** from Calvià, **Jose Javier Rubio** from Bio Salud, **Marta Sugrañes** from Rosa Gres...

And finally, as the last ones will be the first, to all our technical team that from ABAA develops our projects, true specialists in the matter, led by **Santi Castán**, along with **Miguel Ángel Garcia, David Iglesias, Jordi Vidal, Irene Rodríguez**, and the Tender team led by **Miquel Bargalló**, with **Natxo Alonso, Pau Balaguer, Andres Zapico, Natxo Solsona, Mikele Moragues, Roberto Paparcone, Renata de Mendonça** and **Albert Pérez**. And also to **Maria Molsosa**, director of the graphic design department, who has developed a magnificent line for all our Duet centres.

To all those persons, entities and institutions that helped us in contributing with graphic and documentary material for the elaboration of this book, and especially to **Mr. Juan Antonio Samaranch**, that rewarded us with his words in the introduction of this work.

And, of course, thanks to you, reader, for being restless and sensible enough to read it all until this very words. Hope you enjoyed it!

Luís Alonso
Sergio Balaguer
Architects, co-founders of **Alonso-Balaguer and Associated Architects**, as well as of Duet Sports and O2 Centros Wellness.

166
167
168
169
170
171
172
173
174
175
176
177
178
179
180
181
182
183
184
185
186
187
188
189
190
191
192
193
194
195
196
197
198
199
200
201
202
203
204
205
206
207
208
209
210
211
212
213
214
215
216
217
218
219
220
221
222
223
224
225
226
227
228
229
230
231
232
233
234
235
236
237
238
239
240
241
242
243
244
245
246
247
248

Club Arsenal
c/Pomaret 49-53
Barcelona
Superficie construida: 4.000 m2
Año finalización: 1993
Promotor: Squash Club Arsenal

Club Arsenal-Augusta
Vía Augusta 49-51
Barcelona
Superficie construida: 5.500 m2
Año finalización: 1989
Promotor: Squash Club Arsenal

Club Metropolitan Barcelona
c/Galileu 180-204
Barcelona
Superficie construida: 4.000 m2
Año finalización: 1988
Promotor: Construcciones Castro

Club Europolis Sardenya
c/Sardenya-Camp C.E.Europa
Barcelona
Superficie construida: 7.200 m2
Año finalización: 1994
Promotor: Slafua S.L.

Club Europolis Les Corts
Travessera de Les Corts c/Del Marqués de Sentmenat
Barcelona
Superficie construida: 7.800 m2
Año finalización: 1996
Promotor: Complexe Esportiu Les Corts

Club Holmes Place
c/Balmes 44-46
Barcelona
Superficie construida: 3.500 m2
Año finalización: 2002
Promotor: Holmes Place

Club Balthus
Santiago de Chile
Superficie construida: 6.500 m2
Año finalización: 2001
Colaboradores: Archiplan (Chile)
Promotor: Grupo Lería

Centre Wellness O2 Parc del Migdia-Girona
Parc del Migdia, Girona
Superficie construida: 3.400 m2
Año finalización: 2003
Promotor: O2 Centro Wellness

166
167
168
169
170
171
172
173
174
175
176
177
178
179
180
181
182
183
184
185
186
187
188
189
190
191
192
193
194
195
196
197
198
199
200
201
202
203
204
205
206
207
208
209
210
211
212
213
214
215
216
217
218
219
220
221
222
223
224
225
226
227
228
229
230
231
232
233
234
235
236
237
238
239
240
241
242
243
244
245
246
247
248

Centro Wellness O2 Sevilla
Sevilla
Superficie construida: 6.800 m2
Año finalización: 2002
Promotor: O2 Centro Wellness
Colaboradores: Luís Millet y Joaquín Blanco

Centre Wellness O2 Huelva
c/Duque de Ahumada, Huelva
Superficie construida: 4.600 m2
Año finalización: 2005
Promotor: O2 Centro Wellness
Colaboradores: Rafael Cabanillas de la Torre y Angel Bruna Vidal

Centre Wellness O2 Ademuz-Valencia
Valencia
Superficie construida: 3.800 m2
Año finalización: 2005
Promotor: O2 Centro Wellness

Club Wellness O2 Pedralbes-Barcelona
Passeig Manuel Girona c/Eduardo Conde, Barcelona
Superficie construida: 3.000 m2
Año finalización: 2002
Promotor: O2 Centro Wellness

Club Wellness O2 Neptuno-Granada
Granada
Superficie construida: 3.400 m2
En construcción
Colaborador: Amador Urda, Arquitecto
Promotor: O2 Centro Wellness

Club Metropolitan Gran Via
Hotel Hesperia Tower
L'Hospitalet de Llobregat (Barcelona)
Arquitecto Asociado: Richard Rogers Partnership
Superficie construida: 2.600 m2
Año finalización: 2006
Promotor: Cadena Metropolitan. Desjust, S.A.

Club Metropolitan Sagrada Família
c/Nàpols-c/Provença, Barcelona
Superficie construida: 3.900 m2
En construcción
Promotor: Cadena Metropolitan

Europa International School, Pabellón Polideportivo y Piscina
c/Pla de Vinyet 110
Sant Cugat del Vallès (Barcelona)
Superficie construida: 2.300 m2
Año finalización: 2004
Promotor: Bascugat, S.A.

166
167
168
169
170
171
172
173
174
175
176
177
178
179
180
181
182
183
184
185
186
187
188
189
190
191
192
193
194
195
196
197
198
199
200
201
202
203
204
205
206
207
208
209
210
211
212
213
214
215
216
217
218
219
220
221
222
223
224
225
226
227
228
229
230
231
232
233
234
235
236
237
238
239
240
241
242
243
244
245
246
247
248

Duet Sports Tiana
Ctra de la Conreria s/n
Tiana (Barcelona)
Superficie construida: 3.600 m2
Año finalización: 2004
Promotor: Duet Sports Tiana

Duet Sports Can Zam
c/Victor Hugo
Sta Coloma de Gramenet (Barcelona)
Superficie construida: 6.200 m2
Año finalización: 2005
Promotor: Duet Sports Can Zam

Duet Sports Fondo
Plaza del Fondo
Santa Coloma de Gramenet (Barcelona)
Superficie construida: 4.500 m2
Año finalización: 2006
Promotor: Duet Sports Fondo

Duet Sports Portitxol
Palma de Mallorca (Baleares)
Superficie construida: 3.900 m2
Año finalización: 2006
Promotor: Duet Sports Portitxol

Duet Sports Rubí
c/de l'Inventor Edison
Rubí (Barcelona)
Superficie en construcción: 4.200 m2
Promotor: Duet Sports Rubí

Duet Sports Gandia
c/Goleta
Gandia (Valencia)
Superficie construida: 4.900 m2
En construcción
Promotor: Duet Sports Gandia

Duet Sports La Plana
c/de l'Alegria 17-21
Parc del Torrent d'en Farré,
Espulgues de Llobregat (Barcelona)
Superficie construida: 7.600 m2
En construcción
Promotor: Duet Sports La Plana

Duet Sports Pau Gasol
Lluís Companys 23-25
Sant Boi de Llobregat (Barcelona)
Superficie construida: 8.700 m2
Año finalización: 2006
Promotor: Duet Sports Sant Boi

166
167
168
169
170
171
172
173
174
175
176
177
178
179
180
181
182
183
184
185
186
187
188
189
190
191
192
193
194
195
196
197
198
199
200
201
202
203
204
205
206
207
208
209
210
211
212
213
214
215
216
217
218
219
220
221
222
223
224
225
226
227
228
229
230
231
232
233
234
235
236
237
238
239
240
241
242
243
244
245
246
247
248

Duet Sports Parla
Av. De Las Lagunas, s/n
Parla (Madrid)
Superficie Construida: 3.800 m2
Concurso Fallido
Promotor: Duet Sports Parla

Duet Sports Móstoles
Av. De La ONU, s/n
Móstoles (Madrid)
Superficie construida: 4.000 m2
Concurso Fallido
Promotor: Duet Sports Móstoles

Duet Sports Las Arenas
Av. Gran Via, s/n Plaza España
Barcelona
Superficie construida: 2.200 m2
En construcción
Promotor: Duet Sports Arena Spa

Vestuarios F.C.Barcelona
Camp Nou
Barcelona
Superficie construida: 800 m2
Año finalización: 2006
Promotor: Fútbol Club Barcelona

Club Deportivo Canyelles
Polígono Canyelles
Barcelona
Superficie construida: 4500 m2
En proyecto

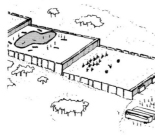

Club Deportivo Calafell
Calafell (Tarragona)
Superficie construida: 4.800 m2
En proyecto

Nou Estadi "Nàstic" de Tarragona
Tarragona
En proyecto

Baños Arabes
Passeig Picasso, 22
Barcelona
Superficie construida: 1.100 m2
En construcción
Promotor: Grupo Aire, S.L.

166
167
168
169
170
171
172
173
174
175
176
177
178
179
180
181
182
183
184
185
186
187
188
189
190
191
192
193
194
195
196
197
198
199
200
201
202
203
204
205
206
207
208
209
210
211
212
213
214
215
216
217
218
219
220
221
222
223
224
225
226
227
228
229
230
231
232
233
234
235
236
237
238
239
240
241
242
243
244
245
246
247
248